COORDINADORA DE VIVIENDA DE LA COMUNIDAD DE MADRID

La vivienda no es delito

COORDINADORA DE VIVIENDA
DE LA COMUNIDAD DE MADRID

LA VIVIENDA
NO ES DELITO

EL VIEJO TOPO

© Coordinadora de Vivienda de la Comunidad de Madrid, 2017

Equipo de redacción: Laura Barrio Recio (Asamblea de Vivienda Usera), Mercedes Lowezka Lovera González (PAH Arganda), Tom Youngman (Asamblea de Vivienda Latina), Violeta Canabal Fernández (Asamblea de Vivienda Latina)

Edición del texto: Gladys Martínez López (Diagonal), Israel García-Calderón Pavón (PAH Getafe)
Diseño de portada: Javier Barrientos (BMpro diseño)
Edición propiedad de Ediciones de Intervención Cultural/El Viejo Topo
Juan de la Cierva 6, 08339 Vilassar de Dalt (Barcelona)
Diseño interior: ENCC/MRC
ISBN: 978-84-16995-11-0
Déposito Legal: B24900-2016
Imprime: Ulzama
Impreso en España

ÍNDICE

Foto: Alberto Astudillo

PRÓLOGO

El camino entre dos gritos:
De *"Sin curro y sin locales solución*
okupación"
a *"Ni gente sin casa, ni*
casas sin gente"

En la década de los ochenta surge un movimiento de jóvenes que con su acción política denuncia la especulación con la vivienda y la falta de espacios donde desarrollar actividades críticas contra el sistema: La Asamblea de Okupas de Madrid. Su herramienta era la okupación de grandes espacios (viejas fábricas, grandes edificios, etc.) que llevaban muchos años abandonados, para liberarlos y darles un uso social: comedores populares, conciertos, reunión de colectivos, gimnasios, talleres de autodefensa para mujeres, actos solidarios con otros pueblos y luchas, y un gran etcétera.

Fueron muchos los frentes de lucha social y política: anti-militarismo, contrainformación, antirepresión, feminismo, anticárceles... Compartían una característica ideológica de peso: no estar dentro de ningún partido político; y una lucha sin tregua contra la heroína, la gran lacra que mató a toda una generación anterior y que desmovilizaba a la siguiente. Pero con una corriente de pensamiento crítico: La autonomía.

Para políticos y fuerzas del orden de aquella época fuimos como un grano en la nariz. Tan molesto resultó, que en un primer momento se nos banalizó con aquello de que "son niños de papá que juegan a la revolución, una moda, ya se cansarán…". Y con el paso del tiempo y nuestra pesada insistencia de "un desalojo otra ocupación", se nos criminaliza con la imagen del organizado-peligroso-antisistema o el ladrón-traficante-delincuente. Para más información lo mejor es remitirse a los ejemplares del periódico ABC de aquellos tiempos que, como ahora, siempre nos han tratado a los movimientos sociales *con rigurosa exactitud y ninguna manipulación.*[1]

Por aquellos tiempos ya asistíamos a los desalojos de familias en los barrios populares de Madrid. Nos sentábamos delante del furgón que el Ayuntamiento mandaba para retirar los enseres de las familias y nos encerrábamos con ellos para solidarizarnos, apoyar, y que no estuvieran solos ni solas. Ya se hacían jornadas de vivienda en los centros sociales okupados. Se luchaba contra la gentrificación de barrios del centro de Madrid, como Lavapiés, con campañas como "Cómete a los ricos" donde se veía ya venir el maquillaje del barrio para yupis y jóvenes enrollados.

Las mismas luchas que las vuestras, en diferentes momentos y procesos.

Estamos ante un libro que recoge un valioso trabajo sobre el derecho a la vivienda, donde la ocupación no es una huella de identidad como en los ochenta, sino una jodida situación a la que se llega por no tener otra solución habitacional. Pero —como antes— es una herramienta de denuncia y de lucha: arrebatar los pisos vacíos de los bancos y llenarlos de vida habitándolos desde el poderío que tienen todas las luchadoras de la PAH y de las

---

1. Para más información, ver: "Minuesa: Una okupación con historia", https://www.youtube.com/watch?v=XaYQaOzXlTw

asambleas de vivienda. La Okupación de estas familias, que con dignidad se enfrentan al capital, es el mayor ejemplo de lucha por el derecho a la vivienda que hemos visto en esta ciudad de Madrid.

Las personas que forman parte de la Coordinadora de Vivienda, afectad@s, abogad@s, compañer@s, vecin@s solidari@s etc, que trabajan y luchan en cada acción y en cada desahucio son también un ejemplo de esas personas imprescindibles que dijo Bertolt Brecht:

"Hay hombres que luchan un día y son buenos;
Hay otros que luchan un año y son mejores;
Hay quienes luchan muchos años y son muy buenos;
Pero hay los que luchan toda la vida,
Esos son los imprescindibles."

Si desde aquella Asamblea de Okupas de Madrid el camino de lucha, desalojos, detenciones, golpes, humillaciones y también victorias, hemos podido llegar hasta el momento de lucha que cuentan estas páginas, ha merecido la pena andarlo y es un orgullo compartirlo con todas vosotras. GRACIAS.

"Podréis desalojar nuestras CASAS pero no nuestras IDEAS"

Nines Cejudo
(Activista de la Asamblea de Okupas de Madrid)

Si tuviera al banquero delante…
Si tuviera al juez delante…

"Yo diría al banquero, si le tuviera delante, que lea el libro. Nuestros casos no son solo un expediente o una carpeta: se trata de lo que realmente viven las familias estando de okupa. Le diría que todo el mundo tenemos derecho a una vivienda digna, como él. Queremos que todo el mundo tenga una vivienda, sin tener que estar de okupa. Estando de okupa se pasa muy mal, con muchos nervios.

Y si tuviera delante al juez, le diría que la justicia está para defender a las familias. ¿Por qué prefieren ayudar a los banqueros que a las familias? Defienden al banquero antes que defender el derecho a la vivienda de las familias.

Yo okupé por necesidad, okupé porque me tiraron de la vivienda. No tuve más remedio. Nadie quiere estar de okupa, es una necesidad. Tengo la luz enganchada porque el banco no permite que yo la pague. Nadie okupa porque quiera, okupa por necesidad. Tengo dos nietos, tengo una familia a mi cargo. Yo tengo que okupar por necesidad, no por gusto."

Asunción Carbonell
(Activista de la Asamblea de Vivienda de Usera
y de la Plataforma de Afectados por la
Vivienda Pública y Social)

Foto: Pablo Castellanos

INTRODUCCIÓN

Alicia

"Todo comenzó cuando la empresa donde trabajaba mi marido entró en quiebra".

Así arranca el relato de Alicia cuando recuerda el origen de su situación actual. Cuenta que, con la indemnización de su marido, pusieron un pequeño negocio en la parte baja de su casa y que en poco tiempo perdieron todos los ahorros. Esta pareja con cuatro menores a cargo sobrevivió enlazando trabajos precarios y periodos de subsidio durante cinco años en los que no dejaron de hacer frente al pago de su hipoteca, que alcanzó los 1.200 euros mensuales. Aceptaron un periodo de carencia del banco para pagar solo intereses y una ampliación de plazo para bajar sus gastos mensuales pero, aun así, sus familiares tuvieron que ayudarles con las facturas y los gastos de manutención durante todo este tiempo. "Vendimos nuestros muebles y dejamos dinero a deber a todo el mundo, pero no dejamos de pagar".

Consiguieron entregar la casa al banco mediante una dación en pago y se trasladaron a Madrid, al barrio donde se criaron, cerca de su familia. "Mi padre rompió a llorar cuando entregamos las llaves –recuerda Alicia con lágrimas en los ojos–. El esfuerzo de toda la familia, el sacrificio de tantos años, no pudo salvar nuestra casa".

Se alojaron durante un año en casa de los padres de ella, nueve personas en un piso pequeño donde "no se podía ni hablar sin pensártelo dos veces, había mucha tensión por la convivencia". Por un tiempo consiguieron un alquiler barato en el barrio a través de unos amigos, pero la estabilidad solo duró un par de años, hasta que su casero decidió poner su casa en venta. Al carecer de contrato de trabajo y de avales, no pudieron alojarse en otro piso mediante alquiler.

Recuerda con angustia la sensación de tener que salir del piso y no tener dónde ir con sus hijos. "Mi padre enfermó y volver a casa de los abuelos era una locura".

Unas vecinas comentaron que había en su comunidad un piso vacío por un desahucio hipotecario y estuvieron de acuerdo en que se alojaran allí. Desde hace 11 meses viven en este piso asumiendo sus suministros y los gastos de comunidad, que el banco no paga.

"Mis hijos no sabían que estábamos ocupando. Hicimos la mudanza con normalidad, no les quería asustar". En poco tiempo llegó el juicio por usurpación y llamaron a declarar a su hijo de 18 años: "Ahora ya lo saben; saben que de esta casa nos pueden echar en cualquier momento".

Haciendo balance, comentan que la mayoría de sus amigos se perdieron por el camino y parte de su familia no sabe cuál es su situación. Desde que perdieron su casa están solicitando una vivienda pública y aún no han recibido respuesta. "Nuestra trabajadora social sabe cómo estamos desde hace muchos años y no puede hacer nada".

Pocos días antes del cierre de este informe, Alicia recibió notificación del juzgado con la orden de desalojo de la vivienda y el abono en cuenta de la multa impuesta, apercibiéndoles de que en caso de no pagar en el plazo de 30 días se les hará averiguación de bienes para su embargo y, de no ser suficientes, se les aplicará la responsabilidad personal subsidiaria según el Código Penal, consistente en 15 días de privación de libertad.

Objetivos

Durante los últimos años las asambleas de vivienda de Madrid han conocido y se han compuesto de muchas personas como Alicia. Personas dignas y resistentes que, en lugar de dejarse hundir frente a la violencia de no llegar a fin de mes, decidieron recuperar una vivienda vacía para poder sostener el desarrollo de sus vidas, de sus familiares, de sus hijas e hijos, de sus barrios, y además decidieron hacerlo como integrantes de espacios de apoyo mutuo como son las asambleas de vivienda y plataformas en defensa de la vivienda de los barrios y los pueblos de Madrid.

La lucha de las personas que viven ocupando un piso sin permiso de su propietario es el eje más urgente de la lucha por la vivienda en Madrid. Las asambleas lo saben de primera mano: las exclusiones sociales más tajantes, los desalojos con mayores deficiencias en el aviso y con más fuerza, las negociaciones más bloqueadas, todas corresponden a las vecinas que han recuperado un piso vacío. Ahora la mayoría de las personas que llegan a las asambleas por primera vez viven en pisos ocupados/recuperados.

Esta situación se refleja en los datos oficiales. Según el Consejo General del Poder Judicial, el número de denuncias previas registradas cada año en la Comunidad de Madrid por el delito de usurpación de un bien inmueble ha aumentado en más de ocho veces desde 2010. A propósito de estos datos, estimamos que entre septiembre de 2014 y agosto de 2015 unas 15.888 familias[1] entraron a vivir en un piso sin autorización de su dueño en la Comunidad de Madrid.

En este informe detallamos la vulneración sistemática del derecho a la vivienda, entre otros derechos sociales, experimentada por nuestras 'vecinas okupas'.[2] Una vulneración que, en un Estado de derecho que incorpora el derecho a la vivienda en su Constitución, está en condición de exigir una respuesta institucional digna a la evidente emergencia social que vivimos. Sin embargo, la respuesta institucional es peor que nula: son las propias instituciones y agentes del Estado quienes realizan dicha vulneración, como parte de una campaña de criminalización.

Este informe responde a tres objetivos principales:

1. **Sacar a la luz la situación de exclusión residencial** en que se han encontrado muchas de nuestras vecinas y a la que han intentado poner fin a través de la recuperación de una vivienda desocupada.

---

1. Estimación basada en el número de diligencias previas por usurpación, en datos de nuestra encuesta sobre la proporción de 'vecinas okupas' que están denunciadas, y en el hecho de que la gente que vive en bloques enteros ocupados está dos veces más representada dentro de nuestras asambleas que fuera. 2. El término 'vecinas okupas' en el contexto madrileño de la lucha por la vivienda hace referencia a la campaña de la Coordinadora de Vivienda en apoyo a las familias que han recuperado una vivienda vacía.

2. El término 'vecinas okupas' en el contexto madrileño de la lucha por la vivienda hace referencia a la campaña de la Coordinadora de Vivienda en apoyo a las familias que han recuperado una vivienda vacía.

2. **Exponer sus historias** para que se entienda mejor la gravedad que implica dar este paso, tanto por la situación previa de la que se intenta escapar como por las condiciones de precariedad y las vulneraciones de derechos a las que hay que hacer frente cuando se vive ocupando un piso.

3. **Plantear propuestas concretas**, basadas en las experiencias de los colectivos a favor de la vivienda de los barrios y pueblos de Madrid, compuestos, entre otros, de vecinos y vecinas que viven en pisos ocupados y de personas solidarias que les acompañan en su lucha; propuestas que, entre las instituciones públicas y los colectivos sociales, pueden asegurar que el derecho a la vivienda de todas y cada una de las 'vecinas okupas' se cumpla.

Glosario de términos

Existen muchas formas de describir la situación de una persona o una familia que reside en un piso sin la autorización de su propietario. Cada una de ellas con distintas connotaciones sociales, delictivas, políticas y/o históricas, y todas ellas se escuchan en las calles de Madrid y en nuestras asambleas. Los colectivos apuestan por unos u otros términos, y en este informe intentamos reflejar la diversidad de opiniones y preferencias que coexisten dentro de la Coordinadora de Vivienda de Madrid. Por ello, utilizamos las siguientes palabras a lo largo del informe:

Dar la patada: empezamos con la frase más bruta, que ni representa bien la realidad de la entrada en un piso sin autorización del dueño ni se utiliza con frecuencia dentro de nuestras asambleas. A pesar de ello, y ya que aparece en los medios de comunicación y se escucha en las calles, la incluimos igualmente. En este estilo eufemístico se incluyen también expresiones como "comprar una llave" y "abrir un piso".

Ocupar: quizás la palabra más 'limpia', que se suele ver en los estudios sociológicos y académicos sobre este fenómeno. Este término es bastante ambiguo. En el contexto del 15M y en la línea del movimiento Occupy se escuchaba "ocupar las calles" o "tomar las calles", en el sentido de 'recuperar su uso', y también se utiliza a menudo en nuestras asambleas para describir acciones de protesta dentro de sucursales de banco: "ocupar un banco".

Okupar: cambiando la letra 'c' por una 'k' llegamos a una palabra asociada con un movimiento de expropiación de bienes inmuebles encaminada a la organización política que ya cuenta con décadas de historia. Esta palabra implica una crítica hacia la propiedad privada como régimen de tenencia de los edificios y los terrenos, muchas veces reivindicada desde los movimientos autónomos o anarquistas. La palabra 'okupa' sufre el impacto de décadas de asalto mediático que la quiere hacer sinónimo de 'punki', 'rompecristales', 'delincuente', 'perroflauta', etc. En la edición número 23 (2010) de su diccionario, la RAE explica que okupar es "tomar una vivienda o un local deshabitados e instalarse en ellos sin el consentimiento de su propietario".

Recuperar: en las PAH y en las asambleas de vivienda sostenemos que vivir sin permiso en un piso vacío de un banco rescatado con dinero público no es robar; es 'recuperar' lo nuestro. Mientras los bancos nos intentan quitar la vivienda desde sus oficinas de recuperaciones, nosotras defendemos el derecho a recuperar los pisos que los bancos han decidido dejar vacíos con la intención de maximizar sus beneficios a costa de nuestro derecho a la vivienda.

Liberar: dar uso a un espacio abandonado no solo es ocuparlo, es liberarlo de la negligencia de la propietaria o el propietario, es liberar a las personas, antes limitadas por no tener acceso a un espacio adecuado. Cuando la forma en que se decide qué uso se da a los edificios de nuestros pueblos, barrios y ciudades impide que se respeten nuestros derechos humanos, es justo liberar espacios para a su vez liberarnos de nuestra opresión.

Obra Social: los bloques y pisos recuperados por nodos de la PAH forman parte de una campaña que se llama "Obra Social", una subversión del nombre utilizado por bancos y cajas de ahorros para describir sus programas 'solidarios'. Mientras su obra social se compone de la publicidad barata de patrocinar a instituciones culturales de élite, nuestra obra social consiste en la recuperación de viviendas vacías de los bancos para realojar a familias desahuciadas y en situaciones de exclusión residencial.

'Squat': para señalar la diversidad de maneras en que se describe esta práctica social, destacamos la palabra inglesa *squat*, cuyo significado literal es "estar en cuclillas". Representa una metáfora curiosa: un *squatter* (okupa), por lo tanto, permanece suficiente tiempo en cuclillas como para no considerarse en pie, pero tampoco manifiesta intención de permanencia como para querer sentarse del todo.

Usurpación de un bien inmueble: un delito que, desde que se aprobó la Ley Orgánica 10/1995, de 23 de noviembre, se define en el artículo 245.2 del Código Penal. Dicho artículo tipifica como delito la conducta de "el que ocupare, sin autorización debida, un inmueble, vivienda o edificio ajenos que no constituyan morada, o se mantuviere en ellos contra la voluntad de su titular".

• Aclaración respecto al uso del término 'familia'

Asimismo, se nos hace necesario matizar el concepto de 'familia' en el contexto de nuestras reivindicaciones y del presente informe. Defendemos el derecho a la vivienda de las personas, independientemente de su modelo de familia, y cuando hacemos referencia a esta atendemos en todo momento a su diversidad.

Y, precisamente, se hace necesaria esta aclaración, porque el camino de lucha para hacer efectivos algunos derechos no es igual para todos. Es frecuente que las personas solteras, los jóvenes y las parejas sin hijos, entre otros, deban soportar la losa de "hay gente peor que tú", "pide apoyo a tu familia" o "tienes edad para trabajar", al ser comparados con unidades familiares más vulnerables.

Cierto es que la vulnerabilidad social es compleja y diversa, y que hay recursos para muy pocos, pero las comparaciones en este sentido no son justas, pues supone medir los derechos en función de la escasez de vivienda y no de las necesidades. Defendemos que las personas deben tener la libertad de emprender su propio proyecto de vida, ya sea viviendo solas o en compañía, y en este caso, elegir con quién vivir más allá del frío cálculo de cómo hacer frente a los gastos de vivienda y suministros. En este planteamiento, merecen una especial mención los jóvenes, que en el contexto actual de crisis ven limitada su transición a la vida adulta en su aspecto social de independencia económica y emancipación del domicilio familiar.

Por tanto, y como no puede ser de otra manera, reivindicamos que los derechos se hagan efectivos respetando la individualidad, sin que estén supeditados a la convivencia con otras personas o a la renuncia de los proyectos personales de vida. Y reivindicamos que sea así porque no estamos mendigando prestaciones o recursos sociales, sino reclamando un derecho que tenemos todos. Sirvan, pues, estas líneas para insistir en que nuestra defensa del derecho a la vivienda siempre está referida a personas y que al mencionar a las familias estamos dando cabida a todo el espectro posible de unidades de convivencia.

Presentación de la Coordinadora de Vivienda de Madrid

Este informe es un trabajo de la Coordinadora de Vivienda de Madrid, que agrupa a las comisiones de vivienda de las Asambleas 15M, a las Plataformas de Afectadas por la Hipoteca (PAH), la Plataforma de Afectados por la Vivienda Pública y Social (PAVPS) y la Obra Social PAH-Obra Social Madrid. Hay más de 30 asambleas de vivienda 15M y Plataformas de Afectadas por la Hipoteca en la Comunidad de Madrid, y multitud de convocatorias cada semana. Para conocernos mejor, o para consultar convocatorias, se puede ver nuestra cuenta de Twitter: @alerta-desahucio.

El objetivo principal de la Coordinadora es garantizar una vivienda digna para todas y todos, luchando contra el sistema capitalista que ahoga nuestras vidas. Para ello usamos la acción directa y el apoyo mutuo para forzar negociaciones y, llegado el caso, afrontar los desahucios con nuestros propios cuerpos, si es necesario.

La asamblea de cada colectivo es autónoma, con diversidad en sus prácticas; aun así, están unificadas por un marco común de funcionamiento y con objetivos en común. Esta lucha parte del derecho a la vivienda, pero aborda la lucha por todos los derechos fundamentales. Los colectivos de vivienda somos plurales e inclusivos, por lo que no se toleran actitudes discriminatorias en ningún momento. Como asamblearias, se busca el consenso en lugar de mayorías, con la implicación de todas en todas las decisiones. La coordinadora de Madrid, al igual que todos sus nodos, es apartidista...: independiente de partidos políticos, sindicatos, ONG y gobiernos. Estos criterios básicos están formalizados y detallados en las "líneas rojas"[3] de la PAH, consensuadas en la asamblea estatal de la PAH, donde también participaron todas las asambleas de vivienda y las PAH de Madrid.

Este informe se ha trabajado desde la Comisión de Obra Social de la Coordinadora, una asamblea para organizar campañas, talleres y acciones en defensa de la recuperación de pisos de bancos y grandes tenedores como forma de satisfacer el derecho a la vivienda. En este foro se pretende coordinar las negociaciones con bancos

---

3. Las bases principales que sustentan el funcionamiento de las PAH son el apartidismo, la inexistencia de ánimo de lucro y el asesoramiento colectivo.

e instituciones llevadas a cabo por cada asamblea, y desde aquí se responde a nuevas políticas y prácticas de las instituciones respecto a la ocupación de viviendas a nivel municipal y autonómico.

Las personas que han participado en la elaboración de este informe forman parte del día a día de sus asambleas de barrio, colaborando en redes de apoyo mutuo que sostienen el derecho a la vivienda para muchas personas y familias. Su experiencia directa de luchar por sus propios casos, acompañar a vecinos y vecinas negociando los suyos y transformar las realidades políticas de nuestras ciudades y pueblos es lo que da fuerza, inteligencia colectiva y legitimidad a este informe. Además de su experiencia en las asambleas, este equipo de redacción cuenta con miembros con formación sociológica, económica e histórica, lo que ha permitido la incorporación de perspectivas y voces más teóricas en la redacción.

Foto: PAH Vallekas

Metodología

La fuente principal de este informe es la propia experiencia militante, y desde esta posición actuamos no como autores, sino como portavoces de la inteligencia colectiva de nuestras asambleas. Las conversaciones, los debates, los consensos, los acompañamientos, los cuidados, las lágrimas y los gritos de "sí se puede" que han contribuido a lo que veis escrito aquí son infinitos; son resultado de años de lucha, de miles y miles de compañeras y de docenas de asambleas y acciones cada semana.

No se parte desde un posicionamiento neutral. No se pretende mantener una perspectiva objetiva. No existe ni se puede alcanzar la objetividad: todo el mundo tiene intereses en el momento de realizar un estudio (si no, ¡no lo harían!), y todo aquél que lo realiza viene con experiencias previas que utilizarán para elegir qué preguntas plantear y qué generalizaciones y simplificaciones realizar para poder estudiar e interpretar esta realidad, demasiado grande y compleja para plasmarla sobre el papel. Reconocer nuestra perspectiva permite aprovechar e incorporar experiencias que solo se pueden registrar y estudiar al haberlas vivido. Esto no significa que no se tenga una perspectiva crítica: nuestro principal interés es el derecho a la vivienda pero sabemos que el análisis crítico y riguroso, hará más útil el trabajo en la lucha por el derecho a la vivienda.

Desde el punto de vista de la investigación ética, la investigación desde la militancia es la única forma posible de llegar al conocimiento de la ocupación de vivienda. Todas las personas participantes en este estudio viven bajo riesgo de represión legal y la mayoría bajo riesgo de exclusión residencial. La divulgación poco cuidadosa de sus datos podría perjudicar su bienestar, de modo que una investigación ética de las situaciones de estas vecinas exige una metodología afín, cuidadosa y concienciada.

Desde la perspectiva del avance del conocimiento público y académico, la investigación militante es la única manera apta para hacerlo. Para proteger su seguridad y bienestar, las personas que viven ocupando no otorgan fácilmente su consentimiento ni su confianza a las personas que no muestran una intención clara de cuidar sus intereses. Y precisamente eso, cuidar los intereses de todas las vecinas, es ser militante. De modo que solo a través de la investigación militante se puede incorporar esta esfera de la vida de la ciudad en los estudios.

Dada la transversalidad del tema del derecho a la vivienda, este informe tiene una metodología interdisciplinaria que le permite abordar el máximo de perspectivas posibles. Se verá citado con frecuencia el trabajo de sociólogas y sociólogos, quienes históricamente han mostrado un interés especial en este tema, pero también el trabajo de economistas, historiadores, juristas y politólogos.

Una fuente principal de este estudio es el registro de una serie de 33 entrevistas realizadas en julio y agosto de 2015 a personas que han vivido en un piso recuperado en Madrid durante los últimos tres años y que han acudido a una asamblea de vivienda. Estas entrevistas estructuradas las realizó un economista (que también ha participado en la redacción de este informe) bajo una metodología de la sociología económica. Están enfocadas en las situaciones económicas y materiales de las 'vecinas okupas', en sus varias mudanzas voluntarias y forzadas, en sus negociaciones con las instituciones y en su colaboración con las asambleas de vivienda. Este estudio aporta las perspectivas concretas de aquellas vecinas que han participado en una asamblea de vivienda, pero dado que 22 de las 33 familias acudieron a la asamblea después de entrar en el piso ocupado, se puede estimar que las condiciones previas que les condujeron a ocupar son bastante representativas de las situaciones generalizadas de ocupación.

Estructura

El informe se estructura en cuatro capítulos, acabando con unas conclusiones y recomendaciones dirigidas a las instituciones públicas y privadas, y a los colectivos sociales y solidarios.

Se dedica el primer capítulo a la **ESPECULACIÓN**. Aquí se analizan las causas de la emergencia habitacional que ha vivido la Comunidad de Madrid desde 2008, y las causas del aumento masivo en la ocupación de viviendas en este periodo. Esta sección ofrece un retrato del sistema de provisión de vivienda desde la perspectiva de los mercados y las instituciones públicas.

El segundo capítulo analiza el **EMPOBRECIMIENTO**. Aquí se exponen las situaciones de las familias que han tenido que recuperar una vivienda para satisfacer su derecho a techo, demostrando las realidades violentas de la emergencia habitacional. Mostramos un retrato del sistema de provisión de vivienda desde la perspectiva de los hogares y las familias.

El tercer capítulo estudia la **CRIMINALIZACIÓN**. Aquí se cuentan las experiencias de las vecinas mientras han vivido ocupando, así como sus relaciones con las instituciones públicas y privadas. Se expone la difícil realidad de recuperar una vivienda como táctica de supervivencia, y se denuncian las prácticas de las instituciones que criminalizan la pobreza y la ocupación, vulnerando los derechos sociales y políticos de las afectadas por la actual emergencia habitacional.

El cuarto capítulo se ha dedicado a la **LEGITIMACIÓN**. Aquí se defiende la recuperación de viviendas, en primer lugar como una manera de autotutelaje de los derechos sociales que el Estado no ha garantizado, y en segundo lugar como una resistencia al ciclo especulativo que se encuentra en la raíz de la emergencia habitacional. Se detallan, además, las prácticas de las personas y de sus asambleas de vivienda que han conseguido hacer realidad el derecho a la vivienda, prácticas que abren un camino hacia un futuro en que se satisfaga el derecho a la vivienda para todas y todos.

Acabamos con un capítulo que expone **CONCLUSIONES Y PROPUESTAS** para las instituciones públicas y privadas, sobre sus respuestas a esta situación. Son propuestas sobre cómo proteger el bienestar y los derechos sociales de las personas que han tenido que vivir en un piso sin la autorización de su dueño, y sobre cómo podemos garantizar el derecho a la vivienda para todas y evitar que ni se extienda ni se repita la emergencia habitacional.

Ángeles malos o buenos,
Que no sé,
te arrojaron en mi alma.
Sola,
sin muebles y sin alcobas,
deshabitada.
De rondón, el viento hiere
las paredes,
las más finas, vítreas láminas.
Humedad. Cadenas. Gritos.
Ráfagas.
Te pregunto:
¿Cuando abandonas la casa,
dime,
qué Ángeles malos, crueles,
quieren de nuevo alquilarla?
Dímelo

Desahucio (Rafael Alberti)

Capítulo 1

ESPECULACIÓN

Causas de la emergencia habitacional y del auge de la ocupación de viviendas

ESCALONA 4

Calle Escalona 4 forma parte de un conjunto de casas construidas por el mismo promotor en el barrio de Aluche, en el suroeste de Madrid capital. Aluche es una especie de PAU (Plan de Actuación Urbanística) construido en la década de los 60. No ha cambiado gran cosa desde entonces: miles de metros cuadrados liberados para la construcción de vivienda libre, decenas de promociones-estafa, constructores en los tribunales, hipotecas fraudulentas, ni una sola vivienda social.

En Escalona 4 residió la misma familia durante muchos años, hasta que durante la última burbuja inmobiliaria la vivienda pasó a manos de una familia de origen ecuatoriano, que tuvo que contratar una hipoteca basura para su adquisición. Como otras miles, no pudo hacer frente al préstamo hipotecario y fue desahuciada. En ningún momento se les ofreció la posibilidad de permanecer en la vivienda en régimen de alquiler social. Su banco, el BBVA, prefiere mantener viviendas vacías, degradando nuestros barrios, esperando mejores tiempos para vender y sanear sus balances.

Poco tiempo después, la vivienda fue ocupada, desalojada

y nuevamente ocupada. Y en ese caso no precisamente por personas desesperadas por tener un techo en el que cobijarse, sino por esa clase de vecinos que no contribuyen a la buena vecindad y apoyo mutuo que tanto necesitamos. Fue usada para el trapicheo con drogas y saqueada completamente, para desesperación del único vecino del bloque, quien reclamaba continuamente al banco sus responsabilidades como propietario sin obtener respuesta alguna.

En 2012, estando vacía, abandonada y en lamentables condiciones, entró a vivir una pareja joven, con una hija pequeña y otro hijo en camino. Arreglaron la casa como pudieron, con sus escasos ingresos, hicieron de ella su hogar y trataron de negociar con el banco un alquiler social. El vecino dejó de reclamar seguridad y desalojos y pasó a apoyar a esta familia: tenía, por fin, unos buenos vecinos, y ese piso cobraba nueva vida poco a poco.

La respuesta de la entidad bancaria fue un nuevo desalojo, sin atender a la situación de extrema vulnerabilidad: cuando finalmente se produjo, el nuevo bebé de la familia había nacido ya, tenía apenas unos meses.

Ahora mismo la vivienda permanece cerrada, con chapas en todos sus accesos y alarma conectada a la policía, no sea que otra familia sin techo les vaya a dar un disgusto. Y la entidad bancaria, haciendo gala de un cinismo inaceptable, sigue sin aceptar firmar alquileres sociales con las personas que habitan sin título sus casas. Eso sí, ahora no recibimos tan lamentables respuestas desde el departamento jurídico, sino desde su recién creado Departamento de Política Social de Vivienda.

Introducción

El presente capítulo está dedicado al análisis de las causas económicas y políticas que han provocado una escasez de viviendas disponibles de tal envergadura que el mercado se ha regulado mediante el aumento y la normalización de recuperaciones de viviendas vacías.

Se hará un repaso a la evolución de la burbuja inmobiliario-financiera, a las políticas desarrolladas en el país y a las alternativas que han surgido más allá del mercado de venta o alquiler.

Escalona 4.
Foto: Asamblea Vivienda Latina.

La burbuja

Desde el estallido de la burbuja inmobiliario-financiera en 2008, el Estado español ha experimentado una severa crisis económica, vinculada con la crisis financiera a escala internacional. El centro de esta crisis es una crisis del mercado de vivienda, consecuencia del estallido de una burbuja del sector de la construcción impulsado por la facilidad de hipotecarse para comprar una vivienda.

Esta es una crisis del modelo inmobiliario español inaugurado por el régimen franquista en los años 40, un modelo basado en el apoyo del Estado a la propiedad privada como régimen de tenen-

35

cia de la vivienda.[4] Este modelo representaba una apuesta política por lo privado por encima de lo colectivo, a través de la creación de una 'sociedad de propietarios' preocupados por mantener sus intereses privados.[5] La liberalización del acceso a los créditos en los años noventa reforzó y sobrealimentó este modelo.[6] La deuda hipotecaria se disparó desde un 28,4% del PIB en 1997 a un 102,9% en 2007.[7] Estos créditos hincharon la burbuja inmobiliaria, provocando un aumento del 195% en el precio medio de la vivienda entre 1997 y 2007, un salto desde un precio medio 4,5 veces más grande que el salario anual medio a uno 9,2 veces más grande.[8] Tanto las instituciones estatales como las municipales fueron cómplices en el desarrollo de esta burbuja, a través de su influencia sobre las cajas de ahorros regionales que ofrecían los créditos, y a través de su control de la venta de terrenos públicos a constructoras privadas.[9] El fácil acceso los créditos hipotecarios generó una euforia que escondía tanto unas estrictas condiciones hipotecarias como clausula abusivas que ocultaba la precariedad e insostenebilidad de este sistema de previsión de vivienda. Se construyó un modelo inmobiliario cuyo colapso era inevitable, y cuyo plan de emergencia ya se había planificado e inscrito en las leyes y los contratos de las hipotecas: desempleo, desahucios y desamparo.

El estallido de la burbuja empezó en 2008, sin duda bajo la in-

4. Naredo y Montiel, *El modelo inmobiliario español,* 2011, pp. 13-15.
5. Colau y Alemany, 2012, pp. 34-37.
6. López y Rodríguez, 2011.
7. Rodríguez, 2014, p. 22.
8. Rodríguez, 2014, p. 15.
9. Rodríguez, 2014, p. 26.

fluencia de la crisis *subprime* del mercado hipotecario estado-unidense; sin embargo, la caída inicial en el precio de vivienda en el Estado español no llegó hasta justo antes del estallido de las *subprime* en los EE UU.[10] Nuevas restricciones en el acceso a la deuda enseguida tumbaron a un sector de la construcción sobradamente endeudado: en 2006 se empezó la construcción de 866.000 viviendas; en 2012-2013 solo había 50.000 iniciadas. Esta recesión feroz se acompañó por 1,6 millones de despidos en el sector: un 45,5% de los despidos durante toda la crisis.[11] Estos despidos supusieron la primera ola de una recesión que se extendió a todos rincones de la economía: el PIB cayó un 17% entre 2008 y 2012[12] y en 2013, la tasa de desempleo llegó a su máximo, de un 27%.[13]

El cambio inesperado en sus situaciones económicas dejó a millones de familias sin poder pagar las hipotecas desde las que se había construido la burbuja. El impago sistemático de las hipotecas creó una crisis de ejecuciones hipotecarias. Los juzgados del Estado español aprobaron 672.624 ejecuciones hipotecarias entre 2007 y 2015, de las cuales 68.759 se ejecutaron en los juzgados de la Comunidad de Madrid.[14] Se estima que, en 2012, un 91% de las ejecuciones hipotecarias afectó a viviendas habituales.[15] La situación real es más grave incluso que la que demuestran estos datos, que no contemplan las hipotecas tóxicas (basura) y discutidas que no han llegado a juicio.

10. Naredo y Taibo, 2013, p. 10.
11. Rodríguez, 2014, p. 40.
12. Banco Mundial, 2015.
13. INE, 2015.
14. Sección de Estadística Judicial, 2015.
15. Observatori DESC, 2013, p. 12.

Foto: Juan Carlos Mohr.

Las ejecuciones hipotecarias formaron la ola más visibilizada de la crisis de los desahucios. La ley española es anómala porque la ejecución hipotecaria no implica la cancelación de la deuda, así que la caída en el precio de la vivienda supuso que muchas familias hipotecadas ni tan siquiera pudieran escapar de la deuda vendiendo su casa.[16] Por este motivo, no ofrece ningún beneficio a los deudores aceptar voluntariamente una ejecución hipotecaria, y para hacerla cumplir, los juzgados han decretado 448.324 lanzamientos de desahucio entre 2008 y 2015 contra hipotecadas, inquilinas y okupas; de estos, unos 79.872 se lanzaron en la Comunidad de Madrid (ver gráficos 1 y 2).

Las familias inquilinas y okupas se han encontrado con un riesgo de desahucio igual de alto que las familias hipotecadas. De los 67.359 lanzamientos de desahucio practicados en el Estado

16. Observatori DESC, 2013, p. 12.

español en 2015, un 43,4% (29.225) resultaron de procesos de ejecución hipotecaria. En Madrid, ese mismo año, solo un 24,1% de los 7.194 lanzamientos de desalojo resultaron de ejecución hipotecaria (ver gráficos 3 y 4).[17] Aunque la crisis de las hipotecas es el origen de la crisis de vivienda, la emergencia habitacional que ha provocado ha afectado tanto a las familias inquilinas y okupas como a las hipotecadas.

Gráfico 1

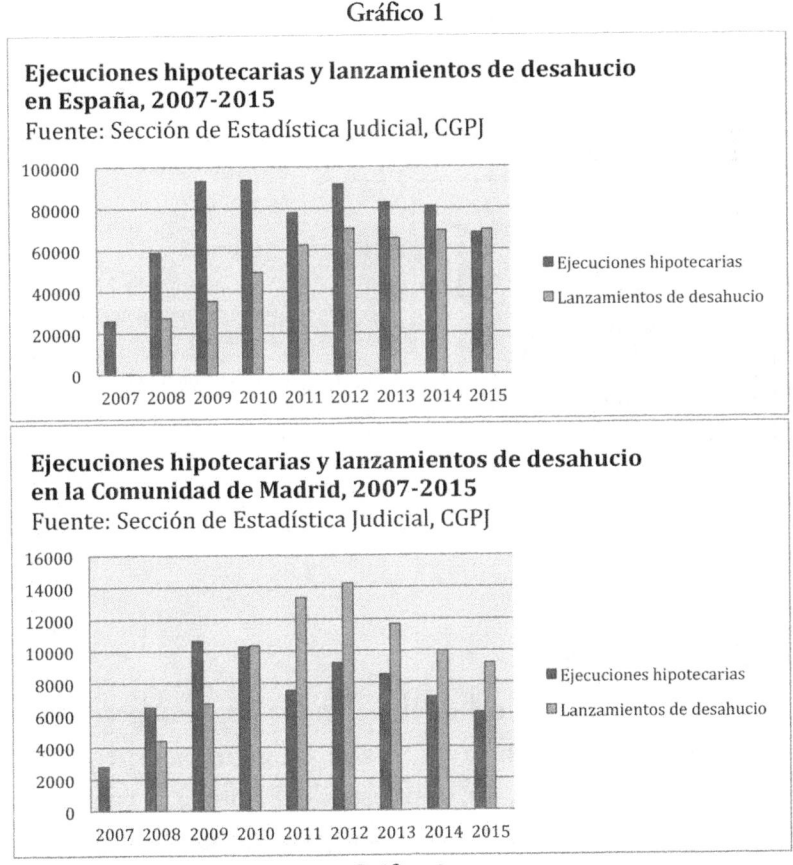

Gráfico 2

17. Sección de Estadística Judicial, 2015.

Gráfico 3

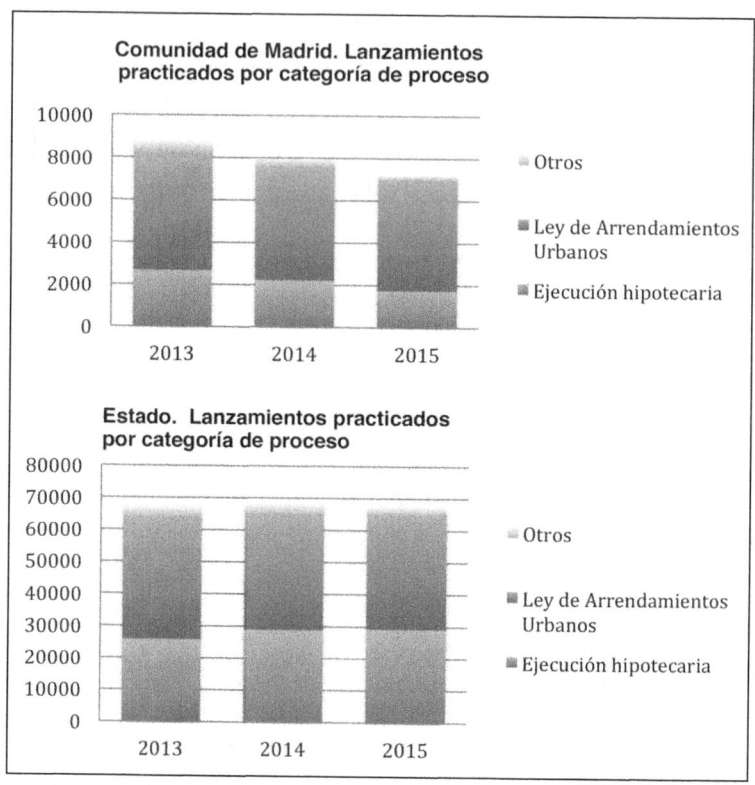

Comunidad de Madrid. Lanzamientos practicados por categoría de proceso

- Otros
- Ley de Arrendamientos Urbanos
- Ejecución hipotecaria

Estado. Lanzamientos practicados por categoría de proceso

- Otros
- Ley de Arrendamientos Urbanos
- Ejecución hipotecaria

Gráfico 4

Políticas del Estado

La crisis económica entró de lleno en los hogares, pero los gobernantes reaccionaron tarde, mal y, en algunos aspectos, podría decirse que nunca. La respuesta del Estado a la emergencia en materia de vivienda ha variado, pero lo que siempre se ha mantenido constante es su negativa a tomar ninguna responsabilidad en su resolución.

Mientras la burbuja empezó a estallar, el Gobierno optó primero por la negación de la crisis, entonando la misma canción que venía sonando desde hacía una década: "El ladrillo nunca baja". El entonces ministro de Economía, Pedro Solbes, dijo en abril de 2007 que el sector de la construcción "sigue funcionando igual, con una ligera desaceleración que le permite ajustarse a una realidad". O en las palabras del propio presidente del Gobierno José Luis Rodríguez Zapatero en febrero de 2008: "No hay ninguna razón objetiva y fundada que permita sostener con honestidad un mensaje pesimista, mucho menos catastrofista. Ni sobre la situación actual ni, aún con mayor fundamento, sobre el futuro". Solo después del lanzamiento de cientos de miles de desahucios, de esas declaraciones y de dos años de silencio y 'reflexión', Zapatero llegó a aceptar que se debieron a su optimismo y que no tenía razón objetiva, afirmando, durante la presentación de su libro en noviembre de 2013, que fue "un error" negar y no reconocer la llegada de la crisis.

Tras su fase de negación, el Estado entró en fase de pánico. Con la intención de resucitar la economía en caída, se inauguró el Plan E de obras públicas, un intento de "paliar la crisis del ladrillo con hormigón".[18] Esta iniciativa de inversión pública formaba parte de un 'giro keynesiano' internacional. En ese momento las élites internacionales se mostraron realmente sorprendidas por la crisis, celebrando la llamada 'Cumbre Mundial contra la Crisis' del G-20 en noviembre de 2008, con el llamamiento de Nicolas Sarkozy a "refundar el capitalismo".[19] El *Plan E* tuvo un impacto notable en la creación de puestos de trabajo, pero careció de la magnitud del plan equivalente estadounidense, la *American Reco-*

18. Montanyà, 2013, págs. 20.
19. Montanyà, 2013, págs. 16-22.

very and Reinvestment Act, y en ningún momento pretendía hacer frente a los desequilibrios estructurales en el sector inmobiliario-financiero, la raíz de la crisis de la economía española.[20] De este problemón se habían encargado los bancos centrales de todo el mundo, intentando frenar el despliegue de la crisis bancaria con varias garantías estatales, nuevas vías de crédito, paquetes de medidas de 'saneamiento' y los primeros rescates. En octubre de 2008 el Gobierno español aprobó avales por valor de 100.000 millones para la banca,[21] antes de dar el paso hacia intervenciones más activas con la creación del Fondo de Reestructuración Ordenada Bancaria (FROB) en junio de 2009. En marzo de 2010 el FROB llevó a cabo el primer acuerdo de su programa, comprando 1.775 millones de euros en acciones preferentes de Caja España/Caja Duero y de Catalunya Banc.[22]

El 12 de mayo de 2010 el Gobierno inauguró la última y más duradera fase de su respuesta a estas crisis interconectadas: su actitud de pánico se transformó en cinismo con el anuncio del recorte del gasto público por valor de 15.000 millones de euros. Fue una apuesta por mantener los beneficios del sector financiero a través de la socialización total de las pérdidas de la banca, y a través de las políticas *'austericidas'* de ajuste neoliberal de recorte y privatización ya bien conocidas de las crisis latinoamericanas.[23] Los recortes brutales en educación, salud, Servicios Sociales y presupuestos municipales y autonómicos sirvieron para preparar al Gobierno para unos 6.922 millones de euros en ayudas a la

20. Bellod Redondo, 2015.
21. *El País*, 2008.
22. Banco de España, 2016b.
23. Medialdea, 2013.

banca a través del FROB en junio y julio, el mero inicio del rescate que ya suma unos 53.533 millones de euros.[24] La apuesta de rescatar a los bancos a costa de las personas no solo se implementó en los despachos, también se implementó en los juzgados, en las comisarías y a pie de calle. La crisis de los desahucios no la ejecutaron los bancos, la ejecutó el Estado. La política del Estado tanto a nivel judicial como a nivel policial ha sido la de asegurar que los bancos mantengan el control de sus bienes inmuebles a pesar del coste social, y que el impago siempre lleve a la desposesión.

Aunque no fuera su prioridad, el Gobierno sí ha implementado algunas respuestas legales a la crisis de la vivienda. Estas medidas se proclamaron como "el fin de los desahucios" a pesar de su limitado alcance, y apuntalaron el argumento de que salvar el sistema financiero era salvar a las familias. En primer lugar, el Real Decreto-ley 6/2012, de 9 de marzo, reconoció la "dramática realidad" de las crisis de las hipotecadas, pero priorizó la protección de "los elementos fundamentales de la garantía hipotecaria" y su "seguridad y solvencia". Esta norma creó el Código de Buenas Prácticas, un código de mera adhesión voluntaria para las entidades financieras en el cual se exige la evaluación de una serie de medidas (reestructuración, quita, dación en pago) previa a proceder a la ejecución hipotecaria. El Código solo se aplica a deudores hipotecarios que se hallan en un umbral de exclusión muy restringido que, según en el Defensor del Pueblo, deja fuera a muchas personas que "se encuentran abocadas a la ruina". Luego, la Ley 1/2013, de 14 de mayo, dio otro paso en el mismo camino: sus medidas principales fueron la inauguración de una moratoria por dos años sobre los lanzamientos de desahucio de colectivos espe-

24. Banco de España, 2016b.

cialmente vulnerables, la limitación de los intereses de demora y la incorporación de los avalistas hipotecarios en las protecciones del Real Decreto-ley 6/2012. Más recientemente, el Real Decreto-ley 1/2015, de 27 de febrero, extendió varias medidas ya aprobadas. Amplió el 'umbral de exclusión' del Código de Buenas Prácticas, incluyó a los mayores de 60 años en el colectivo protegido por la moratoria de los lanzamientos de desahucio hipotecario y confirmó la inaplicación definitiva de las cláusulas suelo de aquellos deudores situados en el nuevo umbral de exclusión. Además, extendió hasta 2017 la moratoria parcial de los lanzamientos de desahucio, una extensión imprescindible pero que subraya la falta de resolución de la situación de estas familias.

Estas medidas se quedan muy lejos de cubrir las necesidades reales de los hipotecados, y no contemplan la emergencia habitacional experimentada por los inquilinos y las personas que viven ocupando. Más que resultado de la voluntad propia del Gobierno, reflejan concesiones ante el escándalo público y a la PAH después de años de lucha. Esto se evidencia en las respuestas del Estado a las Iniciativas Legislativas Populares apoyadas por la PAH: la primera, al nivel estatal con el apoyo de más de un millón y medio de firmas, no se aprobó, y la segunda, a nivel catalán, fue aprobada por la Generalitat pero luego recurrida por el Gobierno ante el Tribunal Constitucional y suspendida parcialmente por este de manera cautelar hasta que se dicte sentencia. Las medidas paliativas del Ejecutivo son más bien un lavado de cara para compensar el precio político de las medidas de austeridad, más que políticas realmente encaminadas a proteger el derecho a la vivienda.

Más importante que la ineficacia de estas medidas en el sector hipotecario son los graves ataques del Gobierno hacia los derechos de los inquilinos en regímenes de alquiler privado y social. Las leyes 19/2009 y 37/2011, las leyes del "desahucio exprés", han empezado una 'agilización' del mercado de alquiler[25] justo en el momento en que mucha gente se encuentra excluida o desplazada del mercado de viviendas hipotecadas y busca realojarse a través del mercado de alquiler. Esta nueva demanda –muy urgente– de vivienda en régimen de alquiler ya crea, por sí misma, una situación adecuada para la extorsión por parte de propietarios sin que haga falta la intervención del Estado. El otro sitio de refugio para las personas desalojadas del sector hipotecario, el sector de vivienda en régimen de alquiler social, también es un terreno cada vez menos apacible, seguro o estable. El desmantelamiento del parque de vivienda pública en la Comunidad de Madrid ha supuesto la eliminación de muchos pisos que podrían haber sido refugio de personas desalojadas y ha colocado a los inquilinos de estas viviendas en riesgo de desalojo.

El Ayuntamiento de Madrid, con la alcaldesa del Partido Popular Ana Botella al frente, enajenó entre los años 2012 y 2013 un total de 6.844 inmuebles a través de la Empresa Municipal de Vivienda y Suelo (EMVS). De estos inmuebles, 2.956 son viviendas, la mayoría con algún régimen de protección en vigor, 3.842 garajes y trasteros, y 46 locales de negocio. La venta se cerró por un precio total de 261.882.843 euros. Del total de las viviendas, 1.860 corresponden a 18 promociones vendidas en bloque, con sus correspondientes garajes, trasteros y locales anejos, vendidas a dos entidades del mismo grupo societario, Fidere Gestión S.L.U. y Fidere Vivienda S.L.U., por un importe total de 128.500.000

25. Cano & Etxezarreta, 2014.

Foto: Alberto Astudillo.

euros, precio fijado por los interesados en la compra e inferior a su valor contable.[26] Según recientes declaraciones en prensa de Marta Higueras, primera teniente de alcalde y delegada del Área de Gobierno de Equidad, Derechos Sociales y Empleo, el Ayuntamiento de Madrid tiene previsto presentar una querella contra el anterior consejo de administración de la EMVS por la venta a Fidere y se personará en la causa ya iniciada por los afectados.[27]

Por su parte, la Comunidad de Madrid, en octubre de 2013 y a través del antiguo Instituto de la Vivienda de Madrid (IVIMA) –hoy Agencia de Vivienda Social–, cerró con Azora Gestión

26. Cámara de Cuentas de la Comuidad de Madrid, *Informe de fiscalización de operaciones de enajenaciones del patrimonio inmobiliario de la EMVS de Madrid y controles realizados por las instituciones competentes*, 2016.
27. Higueras, 2016.

S.G.I.I.C., S.A. (perteneciente al grupo Goldman Sachs) y su sociedad vehicular, la recientemente constituida sociedad Encasa Cibeles S.L., la venta de 2.935 viviendas, 3.084 garajes, 1.865 trasteros y 45 locales de titularidad pública y carácter social por importe de 201.000.007 euros.[28]

Las valoraciones que hace la Cámara de Cuentas sobre el expediente de contratación de la enajenación de estas 32 promociones sacan a la luz numerosas irregularidades. Entre estas destacar tales como la afirmación de que los inmuebles no son necesarios para el IVIMA, la incongruencia entre el procedimiento de adjudicación y los criterios de selección de ofertas y, lo más escandaloso de todo, la negación de los derechos de renovación y reducción de rentas a los inquilinos que reúnen los requisitos para ello y lo han solicitado antes de la enajenación. Por todos estos motivos, el equipo jurídico de la Plataforma de Afectados por la Vivienda Pública y Social (PAVPS) interpuso varios recursos contencioso-administrativos que pretenden declarar la nulidad de la 'privatización' de la vivienda social de la Comunidad de Madrid. Estos recursos se han interpuesto también por la palmaria vulneración que supone desvirtuar la vivienda social como servicio de interés general y el perjuicio patrimonial que ha supuesto, para todas las personas residentes en la comunidad de Madrid, enajenar la vivienda social a un precio inferior al de construcción (283.000.000 euros), incumpliendo el deber de buena gestión de la administración y la vulneración de los derechos que asisten en cualquier procedimiento administrativo, audiencia, publicidad, motivación, etc.

---

28. Cámara de Cuentas de la Comunidad de Madrid, *Informe de fiscalización de operaciones de enajenación del patrimonio inmobiliario del IVIMA y controles realizados por las instituciones competentes*, 2015.

el equipo jurídico de la Plataforma de Afectados por la Vivienda Pública y Social (PAVPS) interpuso varios recursos contencioso-administrativos que pretenden declarar la nulidad de la 'prvatización' de la vivienda social de la Comunidad de Madrid. Actualmente hay ya dos resoluciones judiciales que indican que "los inquilinos no son perjudicados, y carecen de legitimación para reclamar", por lo que este equipo jurídico ha interpuesto los correspondientes recursos ante el Tribunal Superior de Justicia de Madrid, estando actualmente a la espera del fallo de ese tribunal, que podría suponer la nulidad de este proceso de desmantelamiento del parque público de la vivienda en Madrid. Esperemos que los jueces sean valientes.

La falta de respuesta a la crisis también se nota en los centros de Servicios Sociales. Según la Asociación Estatal de Directoras y Gerentes en Servicios Sociales en su informe de valoración de 2015, los Servicios Sociales de nuestra comunidad autónoma manifiestan un desequilibrio entre la cobertura de servicios y prestaciones, y la falta de fundamento jurídico de los mismos y la carencia de planificación pública, lo que permite calificar la situación de los Servicios Sociales en la Comunidad de Madrid como de "cobertura en riesgo". Según los datos presentados en dicho informe de valoración, las Administraciones Públicas de la Comunidad de Madrid han incrementado su gasto total en Servicios Sociales un 5,1% en 2014 en relación con 2013, aunque dicho incremento no alcanza a recuperar el recorte producido durante la pasada legislatura en esta Comunidad, ya que se ha pasado de 280,86 euros por habitante en 2011 a 276,61 euros en 2014. Además de los datos económicos, cabe destacar el dispositivo de recursos humanos: el número de trabajadores técnicos en centros de Servicios Sociales, albergues y centros de acogida es de 1 por cada 8.921 habitantes en la Comunidad de Madrid, mientras que la media en España es de 1 por cada 3.223. Tales datos llevan a la conclusión de que cada vez es menor el porcentaje de riqueza regional que se destina a Servicios Sociales y, por lo tanto, cuestionan cualquier discurso sobre la solidaridad en las políticas de gasto público.

Vivienda vacía

Como consecuencia de las políticas de la banca y las medidas tomadas por el Estado, se ha conformado un parque enorme de vivienda vacía. Las estimaciones del número de viviendas vacías son imprecisas (aún no se ha publicado el censo estatal de vivienda vacía exigido por, entre otras entidades, el Defensor del Pueblo), pero se puede tomar como mínimo la estimación de 2011 de 3,4 millones.[29]

Este parque generó, en primer, lugar durante la burbuja, cuando el fácil acceso al crédito para las constructoras permitió la construcción especulativa de viviendas antes de que se estableciera la existencia de demanda real. Más tarde, la contracción del crédito hipotecario disminuyó la capacidad adquisitiva de las familias, cortando la demanda efectiva de viviendas y aumentando más aún la brecha entre oferta y demanda. Estas viviendas que no se podían vender ni alquilar al precio exigido por sus propietarios quedaron en manos de las constructoras, y después de la quiebra de muchas de estas empresas, que no podían hacer frente a sus deudas, en

29. *España, líder en número de viviendas vacías en Europa.* En Idealista.com (24-2-2014): http://www.idealista.com/news/inmobiliario/vivienda/2014/ 02/24/ 724031-espana-lider-en-numero-de-viviendas-vacias-en-europa

manos de la banca. El exilio económico de muchas personas afectadas por la crisis económica es otra vertiente de la bajada de la demanda de viviendas: junto con la exclusión del mercado laboral, la exclusión del mercado de vivienda provoca el exilio, que baja aún más la demanda de vivienda. Además de este parque de vvienda vacía que nunca salió al mercado, existe un gran parque de vivienda vacía proveniente de desahucios. Este parque incluye una gran proporción de los 604.489 inmuebles sujetos a una ejecución hipotecaria entre 2007 y 2014, y también muchos de los bienes inmuebles entregados a los bancos voluntariamente tras la negociación de una dación en pago u otro acuerdo.

En el mundo financiero, estas viviendas vacías se llaman activos 'tóxicos' o, en las palabras más suaves de la Sociedad de Gestión de Activos Procedentes de la Reestructuración Bancaria (SAREB), activos 'problemáticos'. Este eufemismo quiere decir que son bienes a los cuales les corresponde una cantidad de deuda mayor que su valor en el mercado actual. Si el banco vendiera la casa, tendría que aceptar que el activo registrado en sus cuentas ahora vale mucho menos que lo previsto, mucho menos que el pasivo inscrito en sus cuentas correspondiente al activo. Es decir, para vender estas casas en el mercado actual, tendría que aceptar pérdidas en su capital. Y como buenos capitalistas, eso lo quieren evitar a toda costa. La cosa se complica a causa de la escala del problema. En el caso de que aceptaran las pérdidas de todos estos activos, los bancos quedarían sin capital, quebrarían; sería el colapso de todo el sistema financiero español. La estrategia principal de la banca para evitarlo es la especulación: esperar a que la burbuja inmobiliaria se hinche de nuevo y las casas se revaloricen, haciendo todo lo que puedan (publicidad, presión política, desahucios) para fomentarlo, e intentando convencer a sus acreedores y accionistas de que no hay ningún problema. Pero, afortunadamente para los bancos, el Estado les ha ofrecido otra vía de escape con la creación de una 'Cruz Roja Financiera' para asistirles: la SAREB.

En noviembre de 2012, el Estado fundó la Sociedad de Gestión de Activos Procedentes de la Reestructuración Bancaria (SAREB), un 'banco malo' para sacar estos 'bienes problemáticos' de los bancos, permitiendo así el funcionamiento ininterrumpido del sistema financiero. Este 'saneamiento' del sector financiero, que elude la responsabilidad para arreglar el daño que causó hinchando la burbuja inmobiliaria, es una parte integral del rescate a la banca, además de ser una condición para la asistencia financiera otorgada al Gobierno español en el Memorando de Entendimiento (MoU, por sus siglas en inglés) que firmó en julio de 2012 con sus socios europeos.

Recibió activos procedentes de las entidades del Grupo 1 (BFA-Bankia, Catalunya Banc, NCG Banco-Banco Gallego y Banco de Valencia) y del Grupo 2 (BMN, Ceiss, Liberbank y Caja3) con la misión preestablecida de vender los activos aportados por la banca en un plazo de 15 años (hasta noviembre de 2027) por el máximo valor posible. Hasta ahora esta misión se ha cumplido entregando sus activos a las entidades que puedan pagar más: principalmente a fondos buitres. En su inicio, SAREB recibió casi 200.000 activos por valor de 50.781 millones de euros, de los que el 80% son activos financieros (créditos a promociones inmobiliarias) y el 20% activos inmobiliarios. Suman 106.856 propiedades, incluyendo suelos (11%), oficinas, viviendas (56%) vacías y alquiladas, y locales, lo cual hace de la SAREB la inmobiliaria más grande de Europa. Un 55% del capital de SAREB es privado, y el resto (45%) está en manos del Fondo de Reestructuración Bancaria (FROB) y fue pagado con dinero público. Adquirió su cartera de activos a través de la emisión de deuda en el mercado privado, avalado por el Estado. Eso permite que la SAREB diga que sus activos "no han sido adquiridos con dinero del contribuyente", mientras recibe el imprescindible respaldo fiscal del Estado.

La SAREB es un ejemplo clásico de una institución neoliberal. En primer lugar es una intervención en un mercado ya estructurado por actores privados que lo han conducido hasta el punto de crisis. La SAREB saca los residuos del proceso, los activos 'tóxicos', y deja que el sistema económico, diseñado en los despachos de los banqueros, siga en las mismas. Y, en segundo lugar, es una institución del Estado, que en teoría podría operar con cualquier mandato del Gobierno, actuando como si fuera una empresa capitalista, con la maximización del beneficio priorizada por encima de cualquier otro objetivo. Ese es el doble escándalo de la SAREB: primero, que el Estado intervino antes del colapso, preservando los intereses de aquellos a quienes les beneficia la estructura del sistema, en lugar de permitir un colapso controlado de un sistema podrido para poder crear uno nuevo. Segundo, que, una vez intervenida, el Estado ha olvidado cualquier fin social en el momento de diseñar su programa de intervención. Gran parte de los 'bienes tóxicos' de la SAREB son edificios y pisos perfectamente habitables, cuyo valor social se ha olvidado al 100%.

El sistema no funciona. Miremos más allá de él

Se puede decir que como sistema de mantenimiento de los beneficios del capital, ha funcionado bastante bien; pero como sistema social que disponga los bienes donde mejor uso puedan tener, nuestro sistema económico ha fracasado.

Deudas inscritas en papel forman fronteras insuperables, exigiendo precios astronómicos que evitan que se dé cualquier uso a

Foto: Luis Hidalgo.

estos inmuebles. Lo poco que se puede conseguir del mercado laboral o del Estado nunca llegará a lo exigido por estos propietarios con nostalgia de valores ya perdidos. Casas sin gente, gente sin casas. Es manifiesto que en el momento de estallido, el Estado optó por apoyar su función lucrativa por encima de su función social, rescatando a los bancos en lugar de mantener servicios sociales, capitalizando la SAREB en lugar de proporcionar vivienda social a las personas a quienes les faltaba, mandando sus policías a desahuciar en lugar de respetar el derecho a la vivienda.

La historia nos muestra que para proteger su vivienda, la vivienda de sus hijas e hijos, elemento central e imprescindible para el desarrollo de la vida y el bienestar familiar, la gente está dispuesta a luchar. Frente a un mercado que excluye a un inmenso número de personas sin recursos suficientes para el acceso a la vivienda ni en compra ni en alquiler, y donde muchas viviendas están aparcadas, lejos de su uso social, cabe preguntarse si se debería prestar atención a prácticas económicas fuera del ámbito mercantil.

Permanecer en una vivienda hasta que la policía te saque por la fuerza, bajo orden de un juez, es una decisión extrema, y aún más cuando las imágenes de desalojos ejecutados con violencia por antidisturbios llenan los periódicos.[30] Tomar esta decisión implica que no hay ninguna alternativa habitacional digna disponible para la familia desalojada. Ante opciones como volver a la casa de sus padres o vivir en un piso en muy mal estado, y viendo muchos pisos vacíos a su alrededor,[31] muchas familias eligen ocupar una vivienda.

Datos de la Fiscalía General del Estado confirman lo que han intuido los militantes por el derecho a la vivienda: que la tasa de ocupación se ha disparado desde el inicio de la crisis financiera. Como se ve en el gráfico 5, entre 2007 y 2014 el número de diligencias previas anuales por usurpación de un bien inmueble (el delito penal del que suelen acusar a la gente que vive ocupando) aumentó desde 4.906 a 19.336 en el Estado español, y desde 523 a 4.032 en la Comunidad de Madrid.[32] A propósito de estos datos, y de la proporción de pisos ocupados sujetos a una denuncia por usurpación estudiados en este informe,[33] estimamos que entre septiembre de 2014 y agosto de 2015 unas 15.888 familias entraron a vivir en un piso sin autorización de su dueño en la Comunidad de Madrid.

30. EFE, 2014; González, 2014.
31. Hoekstra y Vakili-Zad, Cyrus, 2009.
32. Fiscalía General del Estado, 1996-2015.
33. La estimación también toma como presupuesto que la gente que vive en bloques enteros ocupados está dos veces más representada dentro de nuestras asambleas que fuera.

Desarrollo de un movimiento

La okupación política en Madrid se desarrolló como táctica del movimiento autónomo en los años 80 y 90,[34] pero la okupación de viviendas también era frecuente entre el pueblo gitano y miembros de los movimientos contraculturales.[35] La toma de la Puerta del Sol en mayo de 2011, y todo el movimiento del 15-M que nació entonces, fue clave para la popularización de la ocupación. El movimiento okupa se juntó con estos nuevos movimientos de masa a nivel de barrio, y juntos formaron un importante eje de lucha para resolver la crisis de la vivienda.[36] Se constituyeron asambleas de barrio por todo Madrid en las semanas posteriores a la 'toma' de Sol, y la mayoría de estas asambleas constituyeron sus comisiones de vivienda. Estas comisiones hoy en día se han independizado de las asambleas de barrio (aunque no se hayan aislado de las redes militantes barriales) para convertirse en asambleas de vivienda y PAH, todas ellas nodos de la red estatal de la Plataforma de Afectados por la Hipoteca (PAH) y participantes de la Coordinadora de Vivienda de Madrid.

La PAH apuesta por la recuperación de viviendas a través de la campaña Obra Social, en que los nodos locales de la PAH liberan viviendas vacías pertenecientes a entidades financieras para ponerlas a disposición de integrantes de su asamblea que han sufrido un desahucio de su hogar. Hasta el día de hoy la campaña ha realojado a un mínimo de 2.500 personas a lo largo del Estado espa-

34. Seminario de Historia Política y Social de las Okupaciones en Madrid-Metrópolis, 2014.

35. Martínez M., 2002.

36. Martínez y García, 2014.

ñol, una figura que incluye ocho bloques recuperados en Madrid[37] pero excluye los muchos pisos individuales que se han liberado con el apoyo de las asambleas de vivienda. La campaña se realiza con mucho cuidado (incluso hay un manual) y se comunica con mucho cuidado: la PAH evita el uso del término 'okupación', un término que sufre muchas connotaciones negativas gracias a las campañas en los medios de comunicación. En su lugar ha reivindicado la 'recuperación' de viviendas de bancos que se rescataron con dinero público.[38] Esta estrategia mediática ha conseguido que la campaña reciba un tratamiento favorable en varios medios de comunicación.[39] El crecimiento del movimiento de okupación ha llegado incluso a los medios internacionales.[40] Esto representa, en los discursos públicos mayoritarios, un cambio en la representación de las personas que okupan una vivienda. Este cambio se ha visto impulsado por campañas implementadas por la PAH.

La ocupación de viviendas vacías por parte de las asambleas de vivienda y de las PAH, supone una intervención social para autotutelar el derecho a la vivienda y también una intervención política y económica en el ciclo especulativo responsable de la vulneración de este derecho. Es tanto una respuesta a la emergencia como una apuesta hacia su resolución. Como respuesta, aloja a las personas desahuciadas. Como apuesta, ofrece "una crítica pública de la especulación financiera" a través de la "visibilización" de edificios vacíos,[41] e interrumpe temporalmente el ciclo especulativo mien-

37. PAH, 2015b.
38. PAH, 2013b.
39. Por ejemplo, Évole y Lara, 2015.
40. Por ejemplo, Johnson, 2013; Kassam, 2014.
41. Martínez y Cattaneo, 2014.

tras estos están ocupados. Además, en el caso de los pisos y bloques de la Obra Social, da a las asambleas la fuerza para poder negociar contratos de alquiler social, deteniendo una vez más, el ciclo especulativo de estos edificios liberados, durante un periodo más largo.

Gráfico 5

Foto: Luis Hidalgo.

Foto: Luis Hidalgo.

"Si tiene este libro entre las manos es porque, en algún momento, ha percibido que el sistema no funciona. Lo ha abierto porque hace tiempo que tiene la sospecha de que la justicia no es igual para todos. Bien, lleva razón."

La justicia sometida (Elisa Beni)

Capítulo 2

EMPOBRECIMIENTO
Experiencias de las familias que han tenido que recuperar una vivienda

Foto: PAH Vallekas.

"Estuvimos muchos meses trabajando juntas y haciendo muchas horas para poder encontrar una vivienda. El tiempo se nos acababa".

Esperanza y Jorge, son una joven pareja con dos menores; ella, trabajadora en el sector de la hostelería, y él, dueño de una empresa de transporte que había creado varios años antes. La pareja, con la estabilidad económica prevista en un proyecto de vida familiar, asume el reto de hipotecarse. Años después, la hipoteca va creciendo mientras los ingresos van disminuyendo. Tras hacer grandes esfuerzos, reduciendo al máximo sus gastos e incluso privándose de actividades de formación para sus peques, deciden hacer entrega de su vivienda y cambiarse a una vivienda más económica en régimen de alquiler.

"... El tiempo pasaba, trabajábamos muchas horas diarias y nuestra situación, lejos de mejorar, iba a peor, estábamos desesperados".

Esperanza y Jorge ya no pueden pagar las cuotas de su piso alquilado, las deudas de su negocio aumentan; sus noches, sus días y sus sueños los dedican a intentar pagar y pagar lo máximo posible estas deudas, e incluso olvidaban que tenían que cubrir gastos básicos como la alimentación de sus niñas. Llegan a la PAH cuando deciden que sus hijas no pueden volver a pasar por una situación parecida a la anterior, ya están mayores y se enteran de todo.

Encarnación vivía con su pareja y su hija; tras muchos años de sufrimiento decide, junto a su hija, abandonar su vivienda. Ambas trabajan, e inician una búsqueda de vivienda en alquiler; la búsqueda se va alargando, meses y meses recibiendo respuestas negativas ante el interés de alquilar una vivienda. Encarnación ya tiene cerca de cincuenta años y ha trabajado toda su vida, lleva más de cinco años solicitando vivienda pública sin respuesta alguna.

"... Nuestras nóminas no nos sirven, nadie nos alquila una vivienda, mis ingresos, junto a los ingresos de mi hija, no nos alcanzan para poder pagar un alquiler y poder comer".

Encarnación llega a la PAH a través de una amiga con circunstancias parecidas y que hoy día disfruta de un alquiler social. Su situación de salud no le ha impedido participar de manera muy activa en muchas de las actividades de la plataforma, especialmente acogiendo y orientando a quienes van llegando por primera vez.

Daniel y Pilar, familia numerosa, siempre han vivido en régimen de alquiler, cumpliendo con los pagos, los suministros y todos los gastos de sus hijos e hijas. Ella, trabajadora social, y él, empleado de grandes almacenes desde hace muchos años.

"...Mi esposa dejó de trabajar por un ERE, la despidieron, yo estaba tranquilo porque tenía un contrato fijo, pero me equivoqué".

Una mañana, Daniel llama a Pilar informándola de que le han entregado una carta de despido por circunstancias objetivas, término que nunca había escuchado, pero la nueva ley del trabajo lo incorporó como una causa justificada de despido para las empresas.

La situación familiar de Daniel y Pilar fue deteriorándose de forma progresiva. Ella, aun cuando conocía todos los recursos para la búsqueda de empleo, no ha podido incorporarse al mercado de trabajo; él, haciendo trabajos esporádicos, ha podido cubrir algunos gastos familiares. Cuentan con el apoyo de los Servicios Sociales como familia numerosa, su trabajadora social conoce su situación, pero no pueden dar respuesta inmediata en materia de vivienda.

Su casera, conociéndoles desde hace muchos años, es considerada en los impagos, les hace una disminución del monto de las mensualidades; aun así, no pueden cumplir con ellas en su totalidad, van haciendo pagos parciales. Daniel y Pilar saben que esta situación no será sostenible durante mucho tiempo. Llegan a la PAH porque no quieren vivir un desahucio.

"… Primero veíamos los desahucios como algo muy lejano, luego le sucedió a una excompañera de trabajo, posteriormente nos sucedió, nos tocó a nosotros".

Así, seis familias más, historias que llegaron a la PAH para encontrarse y descubrir que la culpa no era suya. Todo había sido producto de una gran estafa que había destrozado sus vidas y que, además, les dejaría en la calle. Desde un proceso de empoderamiento, y dentro de la campaña Obra Social de la PAH, estas familias, junto a muchas otras, se han organizado, se armaron de valor y, tras un arduo trabajo de equipo, en un periodo cercano a seis meses, decidieron recuperar el bloque Pico de la Muela ubicado en el distrito de Puente de Vallecas. La recuperación se llevó a cabo el 13 de octubre de 2015.

La propiedad, una constructora, intenta negociar una quita de su deuda con SAREB y a cambio mantener la titularidad del bloque; el inmueble se encuentra bastante deteriorado. Las casas no se degradan solas, son abandonadas a su suerte, primero por parte de los propietarios, y después, por las administraciones.

El bloque se encontró sin ventanas, sin luz ni agua. La luz se consiguió, aunque no gracias a las administraciones públicas; el agua también, tras muchos intentos y tropiezos. Se sacó la basura, mucha, se fregaron los suelos, se hicieron apaños en las ventanas, se vació el agua del sótano acabando con el peligro de cortocircuitos. El edificio unió su suerte a la de sus habitantes.

Foto: Coordinadora de Vivienda de Madrid.

La mayoría de las familias de este bloque son personas desahuciadas de la era Carmena, es decir, que perdieron su hogar en algún momento entre junio y principio de octubre de 2015, mientras tanto los servicios sociales, conocedores de todas las circunstancias de cada una de las familias, se han comprometido a dar una solución. En la actualidad, ninguna de las familias ha obtenido de las administraciones resultados de las gestiones realizadas.

Introducción

El presente capítulo ofrece un retrato de la crisis desde abajo. Aunque sean llamativos los rescates a la banca de más de 100.000 millones de euros, las 604.489 ejecuciones hipotecarias o los 3,4 millones de viviendas vacías, para entender las implicaciones de estos grandes números es necesario mirar desde una escala más cotidiana: las experiencias de las familias, las personas, los barrios y las asambleas que componen estos números. Solo narrando desde el enfoque de las personas que han vivido esta emergencia será posible un acercamiento, con la ayuda de la mirada estructural

Foto: Luis Hidalgo.

Foto: PAH Vallekas.

del primer capítulo, al análisis comprensivo de la situación actual, y desde ahí podremos responder a ella.

Las personas cuyas historias se exponen en este apartado no son víctimas pasivas: son afectadas y afectados cuyo interés en su propia supervivencia ha inspirado nuevas prácticas innovadoras tanto a nivel de familia como de asamblea. Aunque la forma de estas prácticas dependa del terreno producido por los poderes hegemónicos, no se puede despreciar la capacidad de las familias y de los movimientos sociales de innovar para cambiar las realidades vividas como resultado de cambios impuestos en la esfera mercantil. Por lo tanto, en este apartado se hablará de empobrecimiento no solo como una imposición desde arriba, sino también como un estado de búsqueda continua de nuevas estrategias de supervivencia en esta crisis: principalmente la estrategia de la recuperación de viviendas como un modelo de autotutelaje.

Esta sección recopilará estudios de varias organizaciones e investigadores sobre las experiencias de la emergencia habitacional, y principalmente los resultados de 33 entrevistas realizadas en julio y agosto de 2015 con familias que han vivido en un piso ocupado en la Comunidad de Madrid durante los últimos cinco años. Esta investigación original aporta una visión de las realidades duras de la crisis habitacional a través de un muestreo de familias que han acudido a las asambleas de vivienda de los barrios y los pueblos de Madrid tras encontrarse en una situación de exclusión residencial.

Las entrevistas

Esta investigación original la realizó un miembro de la Asamblea de Vivienda del distrito de Latina con formación en investigación social, según una metodología de investigación militante diseñada para permitir la máxima confianza, el máximo acceso y la máxima estandarización de datos sin menoscabo de una actitud crítica y rigurosa. Las entrevistas se diseñaron mediante la participación e investigación previa, lo que permitió enfocar preguntas pertinentes y relevantes. Sin repetir cuál es nuestra metodología de investigación (detallada en la Introducción) destacamos que la afinidad con las personas entrevistadas no supone ninguna barrera a una actitud crítica en la investigación; de hecho, es imprescindible para asegurar una investigación ética y rigurosa.

Sin embargo, hay preguntas importantes sobre la representatividad de este muestreo. Tratándose de vecinas que han ocupado una vivienda y que han acudido a una asamblea de vivienda, es probable que sea un colectivo más politizado que la población general de familias que han recuperado un piso. Pero dado que 22 de las 33 entrevistadas entraron en su piso antes de acudir a una asamblea de vivienda, su situación económica y de exclusión residencial no tiene por qué ser distinta a la de la población general. Los resultados engloban pisos ocupados en nueve distritos de Madrid ciudad, además de los municipios de Torrejón de Ardoz y Móstoles, así que hay poco riesgo de que particularidades de ciertas zonas afecten a la imagen general. Lo que este estudio no pretende mostrar son las diferencias de la ocupación de viviendas en cada municipio, diferencias importantes en tratamiento administrativo, disponibilidad de vivienda vacía y nivel de militancia. Aunque en este estudio se han podido identificar ciertos puntos de variación entre municipios y distritos, no se ahondará aquí en un análisis profundo de las pautas y formas de diferenciación entre ellos.

Crisis de trabajo

El estallido de la burbuja financiera aterrizó en los hogares a través de una crisis de trabajo. Una ola de despidos y ERE, empezando con 1,6 millones de despidos en el sector de la construcción,[42] se combinó con la precarización de la plantilla en otros sectores (promovida por las sucesivas reformas laborales) para dejar a muchas familias sin los ingresos que las habían sostenido hasta entonces.

42. Rodríguez López.

Como apuntan desde el Observatori DESC, el desempleo aumentó "del 8% en 2007 hasta alcanzar un 26,6% durante el segundo trimestre de 2013, afectando de forma intensa a las personas jóvenes y al colectivo de migrantes".[43] La severidad de la situación se refleja en las estadísticas oficiales, que constatan un aumento importante en el Indicador de Riesgo de Pobreza y/o Exclusión Social (AROPE) y en la desigualdad según el coeficiente Gini, y una tasa de "trabajadores pobres" por encima de la media europea.[44] La reducción de la plantilla se ha acompañado por un empeoramiento en los derechos laborales, fomentado por la reforma laboral de 2012, pero también resultado de las prácticas de contratación propias de las empresas. En un informe de 2015, el sindicato UGT afirma que aunque ha habido un "tímido aumento en la tasa de empleo" desde 2013, también se ha producido una reducción en la duración media de los contratos desde 77,1 días en 2008 a 57 días en 2014, y un aumento importante desde 2012 en el porcentaje de puestos de trabajo a tiempo parcial. Se añade que según los resultados de la Encuesta de Población Activa del INE de 2014, "un 63,2% de los ocupados trabajaba a tiempo parcial por no encontrar un trabajo a tiempo completo (parcialidad involuntaria), frente a un 35,5% en el mismo trimestre de 2008".[45] Esta tendencia de precarización y subempleo forma parte de una tendencia internacional, pero con un apunte particular en el Estado español, que el sociólogo Guy Standing describe como la formación de una nueva clase social definida por tener que trabajar en condiciones muy precarias, rea-

43. Observatori DESC, 2013, p. 34.
44. Amnistía Internacional España, 2015, p. 14.
45. UGT Secretaría de Acción Sindical, 2015.

lizando un trabajo muy por debajo del nivel de que serían capaces.[46]

De las familias entrevistadas para este estudio, la gran mayoría se encuentran afectadas de lleno por esta crisis laboral. Solo cuatro de las familias estudiadas tenían un miembro con trabajo legal a tiempo completo. En 13 casos, ningún habitante de la vivienda tenía trabajo, por lo que destaca la importante relación entre el desempleo y la ocupación de una vivienda. En esta ecuación también son importantes la precarización y el subempleo: en dos familias la fuente principal de ingresos era el trabajo legal a tiempo parcial, y en tres lo era el trabajo legal esporádico.

Igual que estas familias han tenido que mirar hacia las prácticas informales y no regularizadas para satisfacer su derecho a la vivienda, en el ámbito del trabajo los hogares han tenido que recurrir a las prácticas informales –e ilegales– para sostener la vida familiar. Once de las familias entrevistadas trabajaban 'en negro' a falta de otra opción. Tres de estas familias trabajaban en la venta ambulante, y la mayoría aceptaba trabajos esporádicos sin ninguna regularidad ni estabilidad. Esta situación representa una precariedad extrema: sin horas establecidas, ni regularidad, ni contrato, ni cotización, para luego poder acceder a ayudas sociales.

Bajos ingresos

La situación laboral de las familias entrevistadas se reflejó en sus bajos ingresos. Desde 2009 la renta media individual en la Comunidad de Madrid ha bajado unos 1.030 euros, situándose en unos 12.534 euros al año en 2015.[47] Esta cifra esconde diferencias

46. Standing, 2014.
47. Llano Ortiz, 2016.

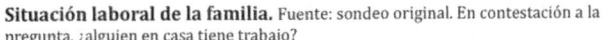

Situación laboral de la familia. Fuente: sondeo original. En contestación a la pregunta, ¿alguien en casa tiene trabajo?

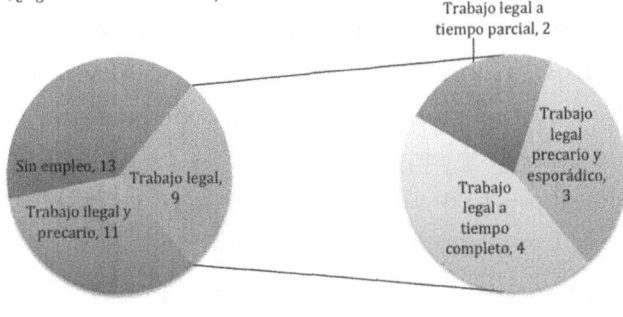

Gráfico 6

llamativas de riqueza según el distrito: los últimos datos disponibles, de 2011, indican que la renta familiar disponible en los distritos más pobres (16.691 euros en Usera y 16.730 euros en Puente de Vallecas) es de casi 10.000 euros menos que en los distritos más ricos (26.409 euros en Retiro y 26.265 euros en Salamanca).[48] Estas diferencias por distritos se reproducen en un cierto sesgo de selección de los distritos estudiados en este informe: se realizaron entrevistas correspondientes a pisos recuperados en los cinco distritos más pobres (Latina, Carabanchel, Usera, Puente de Vallecas y Villaverde), pero en ninguno de los cinco distritos más ricos.

Los resultados del estudio realizado para este informe indican que las personas que viven ocupando un piso se encuentran en el punto más agudo de la caída de ingresos familiares. Cada entrevistada estimó sus ingresos mensuales, indicando que estos variaron mucho cada mes. La media de las estimaciones de ingresos mensuales oscilaba entre los 345,80 euros y los 520,47 euros. Es

48. Rivas, 2014.

71

decir, entre unos 4.150 y unos 6.246 euros al año. Estos resultados sitúan a las vecinas entrevistadas muy por debajo del umbral regional de pobreza (9.618 euros) y del umbral nacional de pobreza (8.011 euros). Con ingresos así de bajos, está claro que estas familias no tendrían ninguna posibilidad de conseguir un piso en el libre mercado de alquiler. Incluso un minipiso de 45 metros cuadrados al precio medio del alquiler mensual en Madrid valdría más que este máximo, unos 590 euros.[49]

Aunque aproximadamente un tercio de las entrevistadas no concretaron cuáles eran sus principales fuentes de ingresos, solo cuatro declararon tener un contrato de trabajo, mientras que el resto perciben sus ingresos de subsidios (2), pensiones (3), Renta Mínima de Inserción (5), beca de estudios (1) y "ayudas sin determinar" (1). Tres entrevistadas declararon como principal ingreso las aportaciones de familiares, y dos de ellas manifestaron no contar con ningún tipo de ingreso.

Sin respuesta	12
REMI	5
Subsidio	2
Familiares	3
Sin ingresos	2
Pensión	3
"Ayudas"	1
Beca de estudios	1
Trabajo	4

49. Idealista.com, 2016.

Estructura familiar

Los muy bajos ingresos de que disponen las familias entrevistadas, en la mayoría de los casos, tienen que alcanzar para sustentar a menores de edad. Dos tercios de las entrevistadas vivían en el piso ocupado con uno o varios menores, y cuatro de las 33 familias vivían en un piso recuperado con tres o más menores de edad.

Sin menores	11
Una persona menor de edad	8
Dos menores	10
Tres menores	3
Cuatro menores	1

Además de sustentar a menores a su cargo, 16 de las 33 familias también incluían un miembro con una discapacidad o una enfermedad crónica. En las respuestas se mencionaron casos de enfermedades del corazón, de los pulmones, cáncer, epilepsia, depresión y sordera. Estas enfermedades y discapacidades afectaban a distintos miembros de las familias, incluidos niños y mayores.

Sí, hay alguien en casa con una discapacidad o enfermedad larga	16
No, no hay...	17

Suministros

Ante la imposibilidad de pagar un alquiler, muchas de las entrevistadas tampoco podían hacerse cargo de los gastos de suministros, imprescindibles para considerar una vivienda digna. Según datos de la Encuesta de Condiciones de Vida del INE, un 8,8% de los hogares en la Comunidad de Madrid no puede permitirse mantener la vivienda con una temperatura adecuada. Si tuvieran que depender del mercado libre de suministros, está claro que estos hogares se encontrarían en situación de pobreza energética. Pero las realidades que relatan las familias entrevistadas son más complejas que las que se ven en las estadísticas del Estado.

Las personas entrevistadas para este estudio son personas que han decidido buscar sus propias estrategias de supervivencia frente a su exclusión habitacional. Frente a una situación de impago de suministros, en que se encuentran la mayoría de las 'vecinas okupas', estás han buscado otras tácticas de supervivencia para evitar una carencia material. Carencia que supone una grave amenaza a las condiciones de vida.

Las que viven ocupando una casa a menudo viven también 'ocupando' la red eléctrica. La mayoría de las personas entrevistadas para este informe tenía la luz 'enganchada'. Solo cuatro 'vecinas okupas' pagaban un contrato de luz; tres más dijeron que habían intentado contratar la luz pero la empresa se lo había negado por su estatus de "teniente irregular". Viviendo en un piso recuperado, enganchar la luz es, salvo en casos excepcionales (por ejemplo, el caso de una vecina que tenía la luz contratada a nombre del antiguo inquilino del piso), la única manera de evitar vivir en la oscuridad.

Luz enganchada	27	La luz ya estaba puesta	3
Luz contratada	4	Cable desde casa de vecina	1
Luz de obra	1	Sin luz	1

Vivir con la luz 'enganchada' no quiere decir que estas vecinas no quieran pagar y que con esta situación vivan felices. En muchos casos mantener el enganche, y así mantener la dignidad básica de su familia, ha sido una lucha continua.

Nueve de las entrevistadas mencionaron cortes de luz graves, es decir, cortes que no se pudieron arreglar el mismo día en que ocurrieron. Asimismo relatan cortes de luz que suponen una grave vulneración de los derechos básicos de una familia: una vecina sufrió dos cortes que duraron dos semanas, otras hablaron de cortes mensuales sin ningún aviso y otra vecina había pasado seis meses sin luz ni agua.

El acceso al agua es incluso más complejo, dado que muchas veces se organiza desde la comunidad de propietarios del bloque, y los importes del suministro son, por lo tanto, la responsabilidad del propietario del piso. Por eso, una proporción más alta de las entrevistadas, unas diez personas, tenía su situación regularizada respecto al agua, bien sea porque el banco propietario del piso estaba pagando la cuota de la comunidad (con agua incluida), o bien porque la comunidad no les cortó el acceso pese a la deuda acumulada por el banco.

En general hay un desconocimiento muy alto sobre la situación legal: en tres casos las entrevistadas informaron de que el agua 'ya estaba puesta' cuando entraron, en 20 casos las personas entrevistadas confirmaron que tenían el suministro de agua en una situación irregular pero sin especificar si se había manipulado el sistema de suministro. Aun así, hay casos de grave vulneración del derecho al agua para personas que viven ocupando. En el caso de un bloque ocupado que no tiene certificado de habitabilidad, no existía acceso ninguno al agua y se tenía que organizar un turno diario para recogerla de la fuente más cercana, a unos kilómetros del bloque. Igual que la electricidad, en muchos pisos se sufrieron cortes de agua: en un piso el corte duró seis meses y al final provocó que la familia abandonara la vivienda.

Las respuestas respecto a la provisión de gas dejan una impresión menos clara aún. En 20 pisos las familias habían pinchado el gas de la red pública, y en dos casos utilizaban gas de bombona. Muchas de las entrevistadas nunca contaron con poder tener acceso a gas, o buscaban alternativas eléctricas, así que dieron respuestas poco claras. Se destacó la falta de calefacción en dos casos, y en uno (de un bloque recuperado) la situación se solucionó montando una fiesta para recaudar fondos para comprar calentadores eléctricos.

Precariedad habitacional

La situación de las vecinas que han recuperado un piso se caracteriza por su precariedad continua. Las medidas que toman para aliviar su situación de pobreza, sea intentando conseguir luz o agua, buscar trabajo aunque sea en negro o encontrar dónde pasar las noches, están bajo la amenaza constante de una reacción administrativa para devolverlas a la miseria.

El desalojo forzoso es quizá el ejemplo más violento de esta precariedad que nuestras vecinas tienen que aguantar.

Ya antes de entrar en el piso ocupado, 15 de las entrevistadas fueron objeto de un lanzamiento de desalojo por parte de los juzgados, a nueve de ellas sus caseros las había desalojado sin orden judicial, y cuatro había tenido que marcharse de casa de familiares.

Causa del fin del último periodo de estabilidad habitacional	
Desalojo con orden judicial	15
Desalojo por un casero, sin orden	9
Para independizarse de los padres	3
No podía seguir viviendo con su familia	4
Malas condiciones del piso	1
Su vivienda habitual fue okupada	1

Estos desalojos forzosos muchas veces formaron parte de situaciones inestables que duraron años, años de vida en una vivienda precaria. De las 33 entrevistadas, 15 ya habían vivido cambios en el régimen de tenencia de la vivienda antes de ocupar. Seis de las entrevistadas se habían tenido que realojar en casas de familiares durante un periodo de tiempo, y a cinco las habían acogido amigas o amigos. Todas las familias entrevistadas habían seguido un camino de desestabilización: aquellas que en algún momento tuvieron vivienda en régimen de propiedad se mudaron, tras ser desahuciadas, a pisos alquilados (cuatro casos), y en un caso a un piso de familiares; seis de las 15 familias que habían alquilado un piso entero (pero nunca habían tenido un piso en régimen de propiedad) luego fueron acogidas en casas de amigas o familiares, y una se mudó a una habitación alquilada. En la mayoría de los casos (18 de 33) las familias entrevistadas no dispusieron de un piso entero como vivienda inmediatamente antes de la entrada en su (primer) piso ocupado. En vez de eso se encontraron disponiendo solo de habitaciones alquiladas, acogidas en casas de amigas o familiares, en pisos contratados ilegalmente, en la calle o viviendo en chabolas.

Última fase		
Familia	6	
Amigxs	5	
Piso alquilado	12	
Habitación alquilada	4	
Vivienda pública	1	
Chabola/caravana	2	
Calle	1	
Subarriendo ilegal	1	
Primera fase		
Familia	4	
Habitación alquilada	5	
Hipoteca	5	
Piso alquilado	14	
Vivienda pública	2	
Caravana	1	
¿Régimen de vivienda antes de ocupar?		
Familia	3	
Habitación alquilada > familia	1	
Habitación alquilada > familia > subarriendo ilegal		1
Familia > piso alquilado > familia	1	
Propietario > familia	1	

Piso alquilado > familia > amigxs	1
Piso alquilado > amigxs	4
Piso alquilado	8
Hipoteca > piso alquilado	3
Hipoteca > familia > piso alquilado	1
Piso alquilado > habitación alquilada	1
Habitación alquilada	3
Vivienda pública	1
Vivienda pública > chabola	1
Caravana	1
Piso alquilado > calle	1

Razón citada para ocupar

Conforme a los datos ya expuestos, 28 de las entrevistadas citaban la necesidad como razón principal de la recuperación de una vivienda. Estas personas ocuparon por carecer de una alternativa habitacional apta dados sus recursos económicos. En dos de los casos se ocupó una vivienda para permitir la cohabitación de una pareja joven. Aquí se presenta otro tipo de necesidad, quizá una necesidad menos reconocida, la necesidad de una vivienda apta para el desarrollo familiar: aunque no represente una carencia de alternativa habitacional a nivel individual, sí que la representa a nivel familiar. Para casi todas las familias estudiadas, la ocupación suponía una estrategia de "subsistencia" ante "la ausencia de una alternativa habitacional".[50]

50. Alba Hernaiz, 2015, p. 71.

Facilitar cohabitación	2
"Necesidad"	21
Necesidad inmediata tras desalojo	7
Oportunidad	1
Razones políticas	1
Ejecución hipotecaria del casero	1

Vivienda social y/o pública

A pesar de las grandes necesidades de las personas que participaron en este estudio, sus testimonios dejan constancia de que las instituciones del Estado, y otras instituciones sociales, han fracasado sistemáticamente en garantizar su derecho a la vivienda. Este fracaso no se deriva de la falta de información ni de la ausencia de solicitudes: en la mayoría de los casos la persona entrevistada había solicitado una vivienda social, con 13 solicitudes entregadas al IVIMA y nueve al Ayuntamiento, y es la falta de respuesta institucional lo que condujo a la ocupación buscando una solución habitacional.

Personas	
No han solicitado vivienda social	10
Sin respuesta	3
Niega tras sufrir un desahucio de vivienda pública	1
IVIMA, EMVS y ONGs	1
IVIMA y EMVS	2
IVIMA, Ayunt. de Parla y ONGs	1
Ayunt. de Alcalá	1

Sigue recuadro página anterior	
Ayunt. de Torrejón	2
La Caixa	1
IVIMA y Bankia	1
IVIMA	6
En proceso de rellenar papeles de IVIMA	2
IVIMA, EMVS, ONGs, IRIS, Bankia, La Caixa	1
IVIMA, IRIS, EMVS y ONGs	1
Solicitudes	
IVIMA	13
Bankia	2
La Caixa	2
Ayuntamientos	9
ONGs	6
IRIS	2
Total	**34**
Solicitudes a ONGs	
Caritas	4
Cruz Roja	2
Total	**6**

Servicios Sociales

Además de solicitar vivienda pública, la gran mayoría de las entrevistadas, 25 de las 33, acudieron a su trabajador o trabajadora social para intentar conseguir una solución a su emergencia habitacional. Se da una negligencia sistemática por parte de las administraciones públicas ante la clara vulneración de los derechos de las personas que viven en un piso sin el permiso de su propietario. La falta de recursos disponibles para afrontar esta crisis social ha dejado muchas oficinas de Servicios Sociales colapsados, con muchos trabajadores sociales recomendando abiertamente a los solicitantes de ayudas que acudan a su asamblea de vivienda más cercana para buscar apoyo.

Sí, acuden a Servicios Sociales	25
Iba, pero dejó de ir	1
Ahora sí; cuando vivía ocupando, no	1
No	5
Sin respuesta	1

Destacan algunas afirmaciones de las entrevistadas sobre sus experiencias en Servicios Sociales. Dos personas residentes en Torrejón de Ardoz contaron malas experiencias en Servicios Sociales: a una vecina nacida en Castilla y León su trabajadora social le sugirió que se vaya "a su país", una afirmación racista basada en el color de piel de dicha vecina. A otra le negaron la atención por no estar empadronada en el municipio, dándose la paradoja de que el propio Ayuntamiento le negó dicho empadronamiento por estar de okupa. Por eso las 'vecinas okupas' de la asamblea de Obra Social de Torrejón fueron en masa al Ayuntamiento para exigir que las empadronaran, y con esta acción colectiva por fin consiguieron hacerlo.

Experiencias racializadas de la pobreza

Contestando a la pregunta "¿de dónde eres?", la mitad de las entrevistadas dijeron que eran de fuera de España, y solo nueve contestaron que eran de Madrid. Eso no quiere decir nada sobre su estatus de residencia o ciudadanía en el Estado español, y todos, siendo participantes activos de una asamblea de vivienda en su barrio o pueblo, demuestran mucho arraigo en Madrid. Sin embargo, hay experiencias diferenciadas de pobreza para la gente que no ha nacido en España.

Por un lado, en muchos casos las personas migrantes no disponen de redes familiares –ni patrimonio familiar– a las que pedir ayuda en una situación de emergencia social. En su estudio sobre la ocupación de viviendas en Villaverde, Lara Alba Hernaiz subraya que "la ausencia de redes familiares próximas" es un motivo importante para ocupar una vivienda, y es un factor que "predomina en las personas migrantes". En su informe de 2015 sobre la crisis de las ejecuciones hipotecarias, Amnistía Internacional destaca que, en sus entrevistas a familiares y amigos de personas que se enfrentaban a una ejecución hipotecaria o que ya la habían sufrido, se confirma que "las han ayudado no solo alojando en su casa a los afectados tras el desalojo, sino también ofreciendo fondos para evitar un impago o retrasarlo al máximo". Está claro que las personas que no disponen de redes familiares, sobre todo las personas migrantes, se encontrarán en situaciones aún más graves que las que sí las tienen, y para ellas la ocupación es muchas veces la única opción.

Por otro lado, hay una pregunta abierta, que merece más investigación, sobre la discriminación racial en los procesos que dejan a familias en situaciones de emergencia habitacional. En las asambleas de vivienda muchas veces se ha sido testigo de actitudes racistas en el momento de negociar con un representante de un banco o de otra institución. Hay que preguntarse acerca de la discriminación racial en la propia burbuja inmobiliaria, y si ha sido la población inmigrante quien ha sufrido lo peor de ese fenómeno de aparente inclusión económica y que solo llevó a expulsiones masivas y violentas.

Origen de las personas entrevistadas	
Madrid	9
España (Castilla y León, La Mancha, La Rioja, Cataluña, Aragón)	7
Europa (Rumanía, Bulgaria)	3
Caribe (República Dominicana, Cuba)	5
Centroamérica (Honduras)	1
América del Sur (Argentina, Venezuela, Perú, Colombia, Paraguay)	6
África (Guinea-Bissau)	1
Pareja mixta (mujer española, hombre dominicano)	1

Experiencias de la pobreza diferenciadas según género

El golpe inicial del estallido de la burbuja inmobiliaria, y los despidos en el sector de la construcción, afectaron a un sector en el que, en 2010, tan solo un 9,07% de la plantilla eran mujeres.[51] Pero que este golpe se produjera principalmente sobre el empleo

51. Infante, Román y Traverso, 2012.

masculino no quiere decir que su impacto sobre las mujeres fuera menor. En el Estado español las mujeres siguen realizando la mayor parte de las tareas domésticas y familiares no remuneradas, a pesar de su creciente participación en el mercado laboral.[52] Este mazazo al empleo masculino no solo afecta a las mujeres en cuanto que su bienestar se sustentara en los sueldos de los hombres, sino también con frecuencia como las responsables de la organización doméstica necesaria para asumir el impacto del recorte salarial. El peso de la presión sobre los ingresos familiares, por lo tanto, ha recaído principalmente sobre las mujeres, que asumen la responsabilidad de hacer que las familias sean colectivos viables y funcionales.[53]

El desmantelamiento del Estado de bienestar, a través de las políticas de austeridad desde el año 2010, desplazó a la esfera doméstica muchas funciones sociales antes socializadas. La paralización de la Ley de Dependencia, la eliminación de la cotización a la Seguridad Social del trabajo no profesional en el entorno familiar, y el aplazamiento de la ampliación de los permisos por nacimiento para los padres son tres ejemplos de medidas 'familiaristas'[54] que aseguran que las mujeres carguen con la responsabilidad de evitar que la crisis económica se convierta en crisis doméstica.

Entrevistadas: 22 mujeres, 7 hombres, 4 parejas de hombre y mujer (37 personas, 33 contestaciones).

52. Castro García, 2013.
53. Vicent, 2013.
54. Castro García, 2013, pp. 15-16

El 70% de las personas entrevistadas para este estudio fueron mujeres, un desequilibrio de género que refleja lo que se ve en la mayoría de las asambleas de vivienda y diferentes PAH de Madrid. La lucha por la vivienda ha sido una lucha protagonizada por las mujeres, tanto hoy en día como hace un siglo: la huelga de alquileres de Glasgow de 1915 la lideró la *Glasgow Women's Housing Association* (Asociación de Vivienda de las Mujeres de Glasgow), y el movimiento de inquilinos de Veracruz, México, surgió de las mujeres de la ciudad, inicialmente por las que trabajaban en la prostitución.[55] En las sociedades patriarcales que asignan a las mujeres la responsabilidad de mantener el hogar, son las mujeres las que se levantan las primeras a luchar cuando el hogar está amenazado. Este es, a la vez, otro ejemplo de las responsabilidades desiguales del patriarcado y la raíz de la fuerza de muchos movimientos por el derecho a la vivienda.

En el momento actual en Madrid, la necesidad de luchar por la vivienda ha supuesto otra transferencia de responsabilidades desde la esfera mercantil a la esfera doméstica. Antes la vivienda se pagaba a través de los salarios ganados en el mercado privado, facilitado esto a menudo por los préstamos hipotecarios. Ahora mantener la vivienda depende del trabajo no remunerado, del recorte de gastos domésticos para seguir pagando y de la lucha para evitar el desahucio por la situación de impago. Muchas familias afrontan esta situación de morosidad solas; muchas la afrontan colectivamente en las asambleas de vivienda y las PAH. Estos espacios, por lo tanto, se podrían considerar espacios de colectivización de tareas ya transferidas desde la esfera mercantil a la esfera doméstica. Esta colectivización ha hecho más eficaz estas luchas

55. Castells, 1983.

antes individualizadas, pero queda una pregunta abierta para otro estudio: ¿el trabajo colectivo de la PAH y las asambleas de vivienda ha cambiado la desigualdad de género en el momento de llevar a cabo la lucha por la vivienda?

"Seguid así. Seguid dando la espalda a la realidad, seguid llamándonos criminales en lugar de ciudadanos. Seguid aumentando la pobreza, la desigualdad y el paro. Seguid dejando que a la gente la estafen, la echen a la calle y los ladrones anden sueltos. Seguid haciendo un escrache masivo a la población y acabaréis sufriendo un escrache masivo y violento. No es una amenaza, es una advertencia de lo que, desgraciadamente, podría pasar... Sois vosotros los que permitís el acoso a los ciudadanos de una banca miserable que impone una ley injusta. Sois vosotros los que dejáis que miles de familias sean humilladas delante de sus vecinos, que sus casas sean señaladas con una cruz de "desahuciado" en la puerta, que queden marcados como parias y excluidos, que ancianos, niños, enfermos y gente sin recursos estén sufriendo la derrota, la violencia policial y la vergüenza pública."

Javier Gallego *eldiario.es*

Capítulo 3

CRIMINALIZACIÓN

Cómo es vivir en un piso ocupado, y la respuesta institucional al auge de este fenómeno

Foto: Sierra Norte.

Luchadora

'Luchadora' contactó con un colectivo de vivienda en mayo de este año. Vivía con sus tres hijos menores de 6, 10 y 12 años en una infravivienda ubicada en lo alto de un cerro de un pueblo alejado de Madrid, sin luz ni agua. Vivía y vive sin ingresos formales desde hace tres años. La necesidad de llevar algo a la mesa de sus hijos la obligaba entonces, entre otras cosas, a desplazarse a pie o haciendo autostop. Algunos días de la semana, dentro de este contexto de subsistencia, caminaba monte a través –unos 14 kilómetros ida y vuelta– para ir a trabajar a otro pueblo. La piel curtida de Luchadora no deja lugar a engaños. Estuvo viviendo en este cerro desde agosto de 2015 hasta principios de septiembre de 2016, momento en el que, dentro del contexto de la Obra Social de la PAH, se recuperó para ella y su familia una casa en los alrededores.

A los pocos días del primer contacto con la Asamblea de Sierra Norte comprobamos, papeles en mano, la naturaleza del proceso de estigmatización y derribo que Luchadora estaba sufriendo por parte del concejal de Servicios Sociales del municipio y, por supuesto, con la connivencia de la trabajadora social de su zona, hasta el punto de apreciar con claridad su objetivo principal: que Luchadora cediera la custodia de sus hijos a las instituciones. En este sentido se le abrió un expediente de Protección de Menores que avanzaba rápido avalado por las condiciones de inhabitabilidad de la vivienda y la falta de recursos.

Se realizó una actuación colectiva de acompañamiento al Ayuntamiento que dejó en evidencia cómo algunas de las razones de estas actuaciones ni siquiera eran de índole técnico, sino personal.

La amenaza de que el Servicio del Protección al Menor interviniera ha sido una constante y una angustia durante todo este tiempo. La primera vez que se revisan de manera colectiva los documentos de Luchadora comprobamos *in situ* la desidia, la hipocresía y la soberbia, todo ello en forma de papeles: un formulario del IVIMA casi ilegible proporcionado por la trabajadora social; el rosario de reclamaciones a la Mancomunidad, al Ayuntamiento, a la Comunidad de Madrid y al Defensor del Pueblo; la miserable respuesta del concejal; el informe de la técnica del Servicio de Protección al Menor. Reparando en este último, se detecta que trasladaba cosas como que los niños necesitaban estabilidad y condiciones adecuadas de vida; planteaba el uso de medidas de guardia temporal en tanto no se tuviera una situación económica estable; indicaba que la madre no aceptaba la separación de sus hijos e incidía en cosas tales como que se los llevaba con ella incluso cuando se iba a trabajar, que no deseaba salir del municipio, y que no entendía la necesidad de que sus hijos fueran a un centro de menores. Sin comentarios.

Las relaciones de Luchadora con los técnicos de Servicios Sociales no son precisamente buenas, o no en todos los casos, como es de suponer. Al preguntarle en su momento por informes favorables de técnicos anteriores, relata un episodio en el que la trabajadora social que tenía asignada entonces trasladó pormenores de su vida privada al centro de sus hijos, así como que el hecho de quejarse tuvo consecuencias directas, pues la sacaron de las listas de comida de Cruz Roja. Afortunadamente no siempre ha sido así.

Respecto a su actual trabajadora social, la compañera Luchadora cuenta que le hizo firmar una comunicación jurada para continuar con la tramitación de la Renta Mínima de Inserción (RMI), una declaración respecto al origen de sus ingresos y al modo de sustento (comida de Cáritas y trabajo en el pueblo al que ya hemos contado que viajaba a través del monte). No le dio copia. Pero con esa declaración determinaron de forma bastante arbitraria que percibía por su trabajo unos ingresos de 120 euros al mes (nunca supo cómo la técnica había llegado a ese cálculo) y ahora se lo descuentan de la RMI. Por otro lado, también le descuentan 444 euros de pensión de alimentos basándose en una sentencia de medidas provisionales prescritas hace unos ocho años. Así es, por un lado no recibe un euro del padre de sus hijos, pero, si no lo denuncia, se lo descuentan. Resultado final: Luchadora percibe 98 euros al mes.

Aquí entra la parte complicada. Luchadora no se llama Luchadora, porque es víctima de violencia de género. De un tipo de violencia de género que parece que no tiene cabida en los manuales sociales que al parecer usan los especialistas en la materia. Luchadora teme por su integridad y tiene motivos, pero para recibir la RMI tiene que poner una denuncia por impago de manutención a su antiguo maltratador, justamente a la única persona que debería estar lejos de sus preocupaciones. Desgraciadamente, Luchadora ha cedido esta vez: entre el miedo y la comida de sus hijos, ha preferido el miedo.

¿De qué trabaja Luchadora? Luchadora era una profesional cualificada de larga experiencia a la que despidieron de su último trabajo por quedarse embarazada. Pero para la técnica de Protección al Menor la profesión de Luchadora se reduce a lo que indica su último trabajo: "limpieza". Hay cosas que cuesta comprender diluidas en el hilo de reflexión de Luchadora: "Cuando uno pierde el trabajo, parece que pierde todo, por mucho que haya estado aportando al sistema durante mucho tiempo".

Afortunadamente, se comienzan a ver las cosas con algo de distancia porque desde hace unas semanas Luchadora y sus hijos disfrutan de mejores condiciones y de un techo más digno. La pelea no acaba ahí, es evidente que acabamos de empezarla, pero para el colectivo, para Luchadora y para sus hijos este lugar recuperado no deja de ser un buen principio.

Introducción

Al hilo del primero de los objetivos del presente trabajo, en este capítulo vamos a arrojar luz sobre la situación de exclusión residencial de nuestras vecinas y el autotutelaje de su derecho a la vivienda a través de la ocupación, desde tres puntos de vista que consideramos necesarios para obtener una visión completa.

Esta exposición en tres dimensiones comienza con el acercamiento a la vivencia directa de ocupar una vivienda, relatos que son inaccesibles desde la posición institucional, pero no así desde nuestra posición como colectivos asamblearios basados en la confianza y el apoyo mutuo.

A continuación, se presenta el tratamiento en medios de comunicación, como fuente de alimentación del imaginario colectivo que incide en la integración de quienes ocupan dentro de la cotidianidad de la vida social.

Por último, hacemos un repaso a la actitud de nuestras instituciones frente a quienes han ocupado un inmueble por falta de otros recursos, ya que son una pieza imprescindible para diseñar e implementar las medidas necesarias para que el derecho a techo de estas familias sea una realidad y no una utopía.

Vivir ocupando

Frente al discurso de "ocupar es ir a lo fácil, al todo gratis", vamos a describir las dificultades a las que se tienen que enfrentar quienes se exponen a la difícil realidad de recuperar una vivienda como táctica de supervivencia.

Recuperar una vivienda supone enfrentarse a la incomprensión vecinal (por lo menos en un primer momento, cuando el vecindario no conoce las circunstancias vitales que llevan a tomar la decisión de ocupar), a la presencia policial en tu domicilio, ante tus hijos; a un más que probable juicio; a unas duras negociaciones con la entidad propietaria de la casa y al estigma social alentado por unos medios de comunicación más empáticos con la banca que con quienes sufren en sus carnes la dureza de una interminable crisis. Y, por supuesto, al desalojo.

Foto: Asamblea Vivienda Latina.

Todo comienza por una decisión. Una decisión difícil, que supone asumir que "no te queda otra".

Cuando las familias ya han recortado al máximo sus gastos de manutención: alimentación, actividades de formación de sus infantes y de ocio, y aun así no pueden soportar el gasto de la vivienda, la realidad se impone y se ven obligadas a salir de ella.

Lo habitual a estas alturas es que ya se hayan valorado todas las opciones imaginables. Quien ya ha descartado –por falta de aval, nóminas o ingresos suficientes– la posibilidad de un piso de alquiler o habitación, el realojo en casa de familiares, y a estas alturas no haya sido beneficiario de una vivienda de emergencia a través de Servicios Sociales, en definitiva, se ve en un callejón sin salida.

Cuando el desalojo viene a través de una orden judicial, el Samur Social, si tiene constancia de la situación, se persona en el domicilio y valora la situación en que queda la familia. En Madrid capital la solución de realojo, con mucha suerte, puede llegar a unos días en un hostal, pero en los casos en que no existe la intervención de un juzgado ni de los Servicios Sociales, la familia da un salto al vacío.

En todo caso, el dispositivo de emergencia solo se activa el día anterior al desahucio, debido a que, desde las instituciones, entienden que son las propias personas desalojadas las que deben aportar las soluciones. Al no poder activar sus recursos de emergencia por pérdida de vivienda de los Servicio Sociales, las personas viven la traumática experiencia de la cuenta atrás de los días previos al desahucio. Aunque sea más que evidente que la familia está en riesgo inminente de desalojo, las ayudas de vivienda no llegan. Esto produce una enorme angustia, y no son pocas las ocasiones en que, de manera indirecta, se renuncia a posibles alojamientos de emergencia porque la familia no se ha esperado hasta el día anterior al desahucio, y ha firmado un alquiler abusivo, ha alquilado una habitación o... ha recuperado una casa vacía.

Lo lamentable es que, al menos en Madrid capital, hasta que no llega el día anterior al desalojo, los Servicios Sociales no pueden activar sus recursos de emergencia por pérdida de vivienda, de modo que la experiencia traumática de la cuenta atrás los días previos al desahucio es inevitable. Aunque sea más que evidente que la familia está en riesgo inminente de desalojo, las ayudas de vivienda no llegan.

Abrir una casa... recuperar una vivienda

Hay quienes ya conocen a algún vecino o familiar que pasó por esta circunstancia, pero muchos se enfrentan solos a la experiencia de seleccionar una vivienda y entrar en ella. Lo cierto es que la mayoría lo hace sin el apoyo de una asamblea de vivienda, dado

Foto: Alberto Astudillo.

que, entre los integrantes de nuestras asambleas entrevistados para este estudio, dos tercios ya habían vivido ocupando un piso antes de llegar a la asamblea. En los barrios más castigados por esta problemática, cuando se prevé una orden de lanzamiento es frecuente el contacto de quienes viven del negocio de abrir casas para facilitar el acceso a una; como se dice comúnmente, para "venderte una llave". Ante el inminente desalojo, a muchas de nuestras vecinas no les queda otro recurso que este mercado negro. Según la experiencia de las asambleas de los colectivos que defienden la vivienda digna, estas redes de 'cerrajeros' operan de diversas formas: hay quien simplemente presta un servicio de cambio de cerradura; otros, además, pueden localizar la vivienda. En estos casos, la dirección exacta del piso es una incógnita hasta el mismo momento del traslado. En otros casos los ocupantes de un piso lo 'venden' a otros, previo pago del importe acordado, que puede oscilar entre los 300 y los 1.500 euros. Los gastos de conexión a los suministros se suelen cobrar aparte.

¿Quién te ayudó a entrar en el piso?

Entrevistas realizadas para este estudio	
Pagaron a los antiguos ocupantes	3
Con ayuda de amig@s/conocid@s	13
Con ayuda de una asamblea	11
Abrieron el piso ellas mismas	2
Pagaron un cerrajero del mercado negro	6
Entró como inquilino; ejecución hipotecaria en el piso	1
Con ayuda de un desconocido que vio que la habían desalojado	1

También son frecuentes los casos de contratos de alquiler sin validez legal sobre un inmueble previamente ocupado. En esta situación, la familia realojada paga mensualmente una renta a un casero que no es propietario del piso, por lo que técnicamente se convierte en ocupa, aun sin saberlo. Esta es la fina línea que separa la situación de vulnerabilidad y desesperación total de las personas en emergencia habitacional de la actitud de otras personas que se aprovechan de estas circunstancias, muchas veces de sus propias vecinas.

Cuando las familias llegan o se acercan por primera vez a la PAH o a asambleas de vivienda, la emergencia no desaparece; tampoco el miedo y la desesperación, pero la situación cambia, ya no están solas, las acciones se organizan para garantizar la máxima seguridad de las personas, los riesgos ante los delitos se minimizan y, por supuesto, se evita en todo momento que estas personas sean víctimas de situaciones de engaño y aprovechamiento de quienes en algunos casos ejercen prácticas poco transparentes a la hora de ofrecer una vivienda, o la llave de acceso a ella.

"Jamás pensé que en algún momento de mi vida tendría que abrir una vivienda y vivir como una okupa, sola no había sido capaz de entender que ese era mi derecho y tener las fuerzas necesarias para abrir una puerta y garantizarle techo a nuestra hija".

El primer día y la primera noche

Una vez dentro de la casa, la angustia no para de crecer y muchos viven durante meses sin abandonar en ningún momento el piso por miedo a perderlo.

"Solo dejo el piso vacío para llevar y traer a los niños del colegio. Siempre vuelvo con el temor de si estará cambiada la cerradura".

También es frecuente que en las primeras 48 horas se reciba la visita de la policía y que los ocupantes, por desconocimiento y miedo a las consecuencias legales, abran la puerta, perdiendo la vivienda y viéndose de nuevo en la calle.

Cada día, y con más frecuencia, llegan a las asambleas relatos de nuevas vecinas que han ocupado, y al recordar cómo fue el primer día en el piso, son recurrentes las alusiones al miedo y a la angustia, pero también al estado del inmueble.

"La casa estaba destrozada. Tendríamos que haber hecho fotos para que el banco viera todo el esfuerzo que hicimos para ponerla decente".

La precariedad es extrema y a la escasez de recursos económicos se suman los cortes de suministros y la falta de muebles, electrodomésticos, caldera, sistema de calefacción, etc. Las casas que han sufrido varios desalojos o que llevan mucho tiempo cerradas se encuentran en muy malas condiciones, y para sus habitantes no es extraño tener que calentar ollas de agua para el aseo o incluso llenar bidones en casa de algún vecino, vivir con humedades o con problemas en la instalación eléctrica.

"Al principio la vecina me llenaba los barreños en su casa gratis, ahora se los tengo que pagar".

Cuando las recuperaciones son organizadas desde algún colectivo de vivienda, todas las cargas son compartidas: los miedos, las presiones, los deterioros de la vivienda, la inexistencia de suministros y, sobre todo, la estigmatización de las familias que han decidido emprender un proyecto de vida en conjunto, la estigmatización enfatizada tanto por las personas que ahora son sus vecinas como por los medios de comunicación y las administraciones públicas.

Vivir oculto

Muchas personas que viven ocupando en precario temen que se sepa, aun siendo conscientes de las implicaciones o riesgos que conlleva, y por eso lo ocultan. La mala información y el miedo provocan una actitud de aislamiento que obstaculiza cualquier vía de solución.

"Desde el día que entramos a la vivienda, tenía la sensación de que todas las personas me señalaban y sabían que estaba en un piso recuperado; cada vez que veía un coche policial pensaba que venían a por mí".

Muchas familias ocultan a los trabajadores de Servicios Sociales detalles sobre su vivienda, continúan empadronados en casa de un familiar, o simplemente no se registran como quienes usan la vivienda por miedo a ir a la cárcel y/o perder a sus hijos. Hay temores infundados, pero otros, lamentablemente, son reales. Por ejemplo, el hecho de empadronarse en una vivienda sin título legítimo sobre ella imposibilita el acceso a una vivienda social de la Comunidad de Madrid (si es una vivienda pública, lo mismo sucede en el caso de la EMVS del Ayuntamiento de Madrid). La criminalización de la ocupación en los procesos de solicitud de la vivienda pública tiene impactos fuertes: solo 19 de las 33 personas entrevistadas para este estudio habían solicitado vivienda social o pública a pesar de que todas se encontraban en una situación de necesidad.

De manera constante, se invita a las familias a poner en conocimiento de Servicios Sociales su situación real, y la Coordinadora de Vivienda de Madrid siempre ha insistido en que el diagnóstico de la demanda de vivienda debe partir de un registro adecuado de los casos. Los informes sociales que certifican la vulnerabilidad y el riesgo de exclusión social son un documento muy valioso de cara a una negociación con el propietario del inmueble o un aplazamiento de desalojo en el juzgado. Y, si no se levanta la voz, la criminalización seguirá para todas.

Dificultades

De cara a integrar a todas las personas en su nueva comunidad, los colectivos aportan un conjunto de recomendaciones, que en muchas ocasiones se realizan de forma conjunta. En primer lugar, alentamos a que se presenten a sus vecinos y aprovechen tal ocasión para explicarles cuál es su situación. Es cierto que el miedo a que un vecino llame a la policía puede llevar a la gente a un bloqueo absoluto, pero ese riesgo se reduce si los vecinos tienen la oportunidad de conocerlos y empatizar. El miedo y la desconfianza dificultan la convivencia y, a medio plazo, pueden perjudicar la negociación de una solución con quien se adjudique la titularidad de la vivienda. En este sentido, nos consta que vecinos y vecinas, presidentes o presidentas de comunidad de propietarios y la administración de fincas son consultados por el personal al servicio de bancos, grandes tenedores, agencias mediadoras y gestorías para realizar informes sobre los ocupantes de un piso. Tal información puede resultar determinante en el marco de una negociación de alquiler social. Otra recomendación es participar en las actividades de la comunidad, como pueden ser las tareas de limpieza de las zonas comunes, y respetar las normas mínimas de convivencia. En realidad, si la relación es buena entre los vecinos, la titularidad del piso es una cuestión sin mayor importancia en la convivencia.

En segundo lugar, es determinante conocer de quién es el inmueble en el que se ha establecido la nueva residencia. Aprovechamos este punto para aclarar que los colectivos que conforman la Coordinadora de Vivienda de Madrid en ningún caso promueven o apoyan la recuperación de viviendas de particulares. Las personas en esta situación pueden recibir de la asamblea apoyo y acompañamiento en una negociación que proporcione tiempo para un realojo y, por supuesto, asesoramiento sobre la tramitación de las solicitudes de vivienda pública, pero no encontrarán en nuestras asambleas apoyo para resistir en un inmueble si perjudica a un particular.

Una vez que se conoce quién tiene la titularidad de la vivienda, ya sea una entidad financiera, la SAREB, un fondo de inversión, una inmobiliaria, una promotora o cualquier otro gran tenedor de inmuebles, el paso más importante es solicitarle un alquiler social sobre el piso recuperado, o en otro de su propiedad. Que nadie se precipite al pensar que solo se exige una solución a quien posee la titularidad del piso; de manera paralela se continúa trabajando la vía de las instituciones públicas. Recuerden que la mayoría de las familias que han recuperado una vivienda han realizado un verdadero periplo exponiendo su situación y solicitando soluciones a las administraciones correspondientes.

La solicitud de alquiler se formula por escrito y, con frecuencia, la banca exige una inscripción o registro en sus famosos fondos sociales de vivienda, a través de los sistemas habilitados para ello en las páginas web correspondientes. Este paso es el inicio de una negociación que en muchos casos no llega a producirse; los cambios de personal, departamento, localización de las oficinas, la ausencia de respuesta o las evasivas convierten la solicitud de alquiler en una carrera de fondo que a veces es infinita.

Sin embargo, en ocasiones se han conseguido. Estas victorias de las asambleas llegan como resultado de un seguimiento 'cansino', tanto de manera individual como colectiva, del expediente en la institución, una paciencia incombustible y, desde luego, mucha presión. Lo lamentable es que la política de las entidades cambia, y las vías de negociación que funcionaron hace unos meses bien pueden fallar hoy. Además, influyen factores que escapan de nuestras manos, como operaciones de titulización, venta de la vivienda o cualquier otro tipo de artimaña que la banca se ha ido sacando de la manga sin valorar su legalidad.

En cualquier caso, para solicitar el alquiler en un piso recuperado es imprescindible acreditar que residimos en él. Para ello hay que pasar por el trámite del empadronamiento, cuestión que trae consigo una alarmante diversidad de dificultades, según el municipio, el distrito e incluso el funcionario que atienda, aun con la existencia de una ley que nos da derecho a registrarnos en el padrón municipal de manera inmediata. Por eso solo 18 de las 33 familias entrevistadas para este estudio estaban empadronadas en el piso recuperado. En Torrejón de Ardoz, el Ayuntamiento se negó durante mucho tiempo a empadronar a las personas que vivían ocupando, excluyéndoles así de la posibilidad de solicitar vivienda social municipal. La situación se arregló con una visita en masa de la asamblea de Obra Social de Torrejón al Consistorio para exigir que les empadronaran. Con esta acción colectiva por fin consiguieron hacerlo. No siempre es por miedo o coacción que las 'vecinas okupas' no se empadronan: una vecina del distrito de

Latina, Charo, cuya situación se expone en el siguiente capítulo, asume su inscripción en el padrón municipal como gesto reivindicativo, negándose mientras pudo a desempadronarse del piso del que la desalojaron en el poblado chabolista de Puerta de Hierro.

En algunos casos es necesario presentar copia de alguna factura a nombre de quien solicita el empadronamiento, y en ciertos distritos se puede manifestar directamente que se está ocupando el piso. En este caso, una pareja de policía municipal se personará en el domicilio indicado para filiar a quienes allí se encuentren e informar para su registro en el padrón, situación que violenta una vez más el estatus de las personas que han recuperado la vivienda. Este procedimiento puede demorar semanas o meses el empadronamiento, tiempo que retrasa la negociación de alquiler y en el que el proceso judicial puede precipitarse.

¿Has tenido alguna dificultad para empadronarte?

Entrevistas realizadas para este estudio	
Están empadronadas/os en el piso de familiares	5
Siguen empadronadas/os en su piso anterior	5
Están empadronadas/os en la oficina de Servicios Sociales	1
Están empadronadas/os en el piso recuperado	18
No están empadronadas/os en el piso ocupado; no dijeron dónde están empadronadas/os	4

Impacto en la salud

Según el estudio realizado por Juan Ramis-Pujol, de la Universidad Ramón Llull,[56] sobre los desahucios hipotecarios, basado en

56. Ramis-Pujol, 2013.

estudios de casos, las personas afectadas presentan emociones como temor, pánico, asco y desprecio ante la carta de ejecución, cólera ante la propia ejecución y pánico, temor y miedo ante la idea de ingreso en un centro de acogida. Las personas entrevistadas para el presente trabajo declararon en su mayoría un estado de nervios, ansiedad, estrés e insomnio; y muchos de ellos usaron términos como depresión, cansancio y preocupación.

La espada de Damocles que supone el riesgo de perder la vivienda se manifiesta en un incesante acoso por parte del propietario del inmueble, del gestor de impagos, visitas de la policía, notificaciones del juzgado, etc. Las familias relatan episodios de amenazas y presiones tales como "la ocupación es un delito y puedes perder a tus hijos" o "no me importa de dónde saques el dinero", incluidos comentarios sexistas y xenófobos.

Esta inseguridad motivada por la vivienda viene acompañada de la incertidumbre relacionada con el empleo y con los plazos tanto del proceso judicial como del cobro de ayudas y subsidios, que incrementan la situación de estrés continuo para estas personas que, en cualquier momento, pueden recibir el impacto de una noticia que afecte de manera directa y determinante a su vida. Estas situaciones mantenidas en el tiempo acaban provocando inestabilidad familiar, rupturas de pareja, desatención de los cuidados personales, fracaso escolar y episodios de violencia doméstica y hasta el suicidio.

La experiencia acumulada a lo largo de innumerables asambleas de asesoramiento colectivo permite afirmar que la amenaza de perder la vivienda supone para las personas un acontecimiento estresante que genera un deterioro significativo en su salud física, psíquica y social, algo que afecta directamente al desempeño de sus actividades personales, sociales y laborales.

No son muchos los estudios realizados sobre el impacto de los desahucios en la salud, menos aún en la salud mental, y no hemos encontrado referencias específicas de las situaciones de ocupación, pero consta que la culpa, la vergüenza y el miedo son los ingredientes del cóctel de sufrimiento que padecen quienes viven un proceso de pérdida de su vivienda habitual. Esta situación de estrés

Foto: Alberto Astudillo.

continuado tiene un impacto negativo en la respuesta del sistema inmunológico y, por supuesto, supone un factor de riesgo para el desarrollo de algunas enfermedades.

Estigma social y vulnerabilidad frente a conductas antisociales

Las personas en riesgo de perder su vivienda están al límite de la exclusión social, a un paso de convertirse en personas sin hogar y formar parte de este sector de la población que, aunque se encuentre en la calle, es, en la mayoría de los casos, invisible. Este colectivo social no solo soporta el peso de la violencia estructural de su situación de calle, sino que es objeto de episodios de violencia directa apoyada en prejuicios e intolerancia.

Foto: Juan Carlos Mohr.

¿Qué es un delito de odio?

"Los delitos de odio son actos de violencia, hostilidad e intimidación dirigidos hacia personas seleccionadas por su identidad. La motivación fundamental de un delito de odio es la intolerancia, los prejuicios y el rechazo hacia determinados grupos humanos, que son considerados los diferentes. En el caso de las personas sin hogar víctimas de un delito de odio, estas serían seleccionadas por el hecho de vivir en la calle, en una grave situación de exclusión social, por su especial situación de vulnerabilidad".[57]

57. Observatorio Hatento, *Algunas pautas. Muchos retos*, 2015.

Según el informe de investigación publicado en 2015 por Hatento,[58] el observatorio de delitos de odio contra personas sin hogar, una de cada tres personas sin hogar ha sido insultada o ha recibido un trato vejatorio, y una de cada cinco ha sido agredida físicamente.

Como fruto de su trabajo de observación e investigación sobre el alcance y los mecanismos que subyacen a los delitos de odio cometidos contra las personas sin hogar, se concluye que la identificación de las pautas más habituales y las especificidades de estos delitos es fundamental de cara a diseñar políticas de seguridad y protección, siendo ineludible la participación de las organizaciones de atención a personas sin hogar. También destacan la necesidad de acercar esta realidad a la ciudadanía para romper estereotipos y fomentar la empatía como paso imprescindible en las medidas de prevención.

Siguiendo esta misma línea argumental, los colectivos de defensa del derecho a la vivienda digna, sostienen que las conductas aporofóbicas[59] se aplican, también, a las personas que están a punto de perder su vivienda.

Cualquier actuación o actitud que fomente el rechazo hacia las personas sin hogar o en riesgo de perderlo, ya sea por parte de los vecinos o de las propias instituciones, es inaceptable socialmente. Así mismo, esta organización considera que no son suficientes las actuaciones realizadas por parte de algunas organizaciones que

58. Observatorio conformado por las organizaciones APDHE, ASSÍS Centre d'Acollida, Asociación Bokatas, RAIS Euskadi, RAIS Fundación, UNIJEPOL y Asociación Zubietxe.

59. Neologismo que se refiere al odio, miedo, repugnancia u hostilidad ante el pobre, el que no tiene recursos o el que está desamparado.

desarrollan campañas de calle y de frío, y tampoco los dispositivos diseñados por las administraciones que solo pretenden colocar un paño caliente a tal realidad y que obligan a cada una de las personas sin hogar a permanecer constantemente en un alto nivel de riesgo tanto físico como mental. Las personas que actualmente se encuentran sin hogar también tienen derecho a una vivienda digna.

Fotos: Juan Carlos Mohr.

La infancia y la adolescencia[60]

No es menos importante la situación en la que se encuentra cada niña y niño que forman parte de una familia que ha recuperado una vivienda, ni las experiencias sufridas en la adolescencia. Los menores de edad forman un colectivo importante entre nuestras

60. Apartado con la colaboración del grupo de trabajo del informe *Te quedarás en la oscuridad. Desahucios, familia e infancia desde un enfoque de derechos.*

vecinas y vecinos que viven en pisos recuperados: 23 de 33 familias estudiadas incluían menores de edad, un total de 46 niñas, niños y adolescentes.

En el extremo de la crueldad legal e institucional, existen situaciones de familias 'pluridesahuciadas', como son los casos de familias que sufrieron un desahucio de su vivienda habitual, bien sea por impago de hipoteca o alquiler, debido a la situación de desempleo o trabajo precario, que se vieron obligadas a ocupar viviendas vacías enfrentándose a nuevos desalojos. Es fácil imaginar la carga de sufrimiento, estrés y angustia que acompaña estas situaciones. Y aquí surge la pregunta: "¿Los niños, niñas y adolescentes dónde están? ¿Y sus derechos?".

En 2014, PAH Madrid, junto a Enclave y Qiteria, puso en marcha un trabajo de investigación[61] con el objetivo de estudiar y evitar las consecuencias y problemas provocados en los menores por los procesos de desahucio de sus familias. De sus resultados se concluye que una carencia de recursos en los primeros años de vida es perniciosa para el conjunto del ciclo vital del individuo; por tanto, la lucha contra la pobreza infantil y los desahucios deberían ocupar un lugar prominente entre los objetivos de las políticas públicas.

El informe fruto de la investigación apunta que el impacto emocional que sufren los niños, niñas y adolescentes ante un proceso de desalojo forzoso es similar al de un desastre (terremoto, guerra), donde se ponen todos los mecanismos de protección en marcha. En los desahucios no. ¿Por qué? Se produce una ruptura

61. Trabajo elaborado por un equipo compuesto por una trabajadora social, una psicóloga, dos antropólogos, dos sociólogas, una economista, una periodista y un abogado.

del proyecto vital (cambio de amigos, colegio, del entorno donde los niños, niñas y adolescentes se están desarrollando), por lo que será necesario, además del apoyo familiar, la ayuda desde Servicios Sociales y la escuela, y elaborar una estrategia para estas situaciones de apoyo social, psicológico e institucional. Si esto se hiciera se reducirían los efectos negativos a largo plazo.

Los cambios de conducta en niños, niñas y adolescentes que han pasado por un proceso de desahucio son los siguientes:

- Los menores entre uno y siete años muestran un mayor apego a los adultos, angustia, suelen mojar la cama y desarrollan juegos repetitivos.
- Entre los ocho y los 11 años, manifiestan una excesiva preocupación –son de carácter más responsable– por sus padres y por su seguridad, además de miedo, ira, confusión. Asimismo, presentan problemas de atención y aprendizaje, alteraciones del sueño y dolores de cabeza y estómago.
- Para la adolescencia de entre 12 y 18 años, es frecuente la culpa por no poder ayudar, el desinterés, la indefensión y la tristeza. También son patentes las conductas autodestructivas (drogas, alcohol), cambios relacionales, deseos de venganza, ira y abandono de los estudios.

"Mi hija nunca preguntó por qué, lo comprendía todo, era una alumna de nueve y en ese momento perdió el curso, no dormía, no se comunicaba con nosotros".

Amenazas de desalojo

La recuperación de una vivienda no implica la solución inmediata a la situación de vulnerabilidad en que se encuentran las familias; no es el final del camino, es el inicio de una lucha, por lo que los miedos, inquietudes, señalizaciones e inseguridades continúan en cada una de las personas que forman parte de la unidad familiar. A partir de la primera noche, se enfrentan al peligro de perder la vivienda desde varios frentes.

En primer lugar, la casa puede tener algún proceso de desalojo abierto contra un anterior propietario u ocupante. En esos casos, puede llegar una orden de lanzamiento consecuencia de una ejecución hipotecaria o una orden de desalojo a nombre de un desconocido, o incluso una no nominativa, dirigida a los "desconocidos ocupantes del inmueble".

Ha de tenerse en cuenta que el delito de usurpación es un "delito público", de modo que cualquiera que considere que se ha producido la ocupación de un inmueble puede denunciar. Según la Comisión Jurídica de la Coordinadora de Vivienda de Madrid, las personas que viven ocupando deben ser conscientes de que se exponen a ser denunciadas por algún vecino, por la policía o por la propiedad del inmueble; en todo momento se les informa de las consecuencia de las acciones, pero también se les apoya jurídicamente en sus derechos.

Según el equipo de abogados que apoya a los colectivos de la Coordinadora, cuando es la propiedad la que denuncia, lo normal es que lo haga por la vía penal acusando del delito de usurpación del artículo 245.2 del Código Penal, que establece que "el que ocupare, sin autorización debida, un inmueble, vivienda o edificio ajenos que no constituyan morada, o se mantuviera en ellos contra la voluntad de su titular, será castigado con la pena de multa de tres a seis meses". Sin embargo, la jurisprudencia exige que para que se considere cometido el delito de usurpación deben darse las siguientes circunstancias:

a) La ocupación, sin violencia o intimidación, de un inmueble, vivienda o edificio que en ese momento no constituya morada de alguna persona, *debe ser realizada con cierta vocación de permanencia.*

b) Que el realizador de la ocupación carezca de título jurídico que legitime esa posesión, pues en el caso de que hubiera sido autorizado para ocupar el inmueble, aunque fuese temporalmente o en calidad de precarista, la acción no debe reputarse como delictiva, y el titular deberá acudir al ejercicio de las acciones civiles procedentes para recuperar su posesión.

c) Que conste la voluntad contraria a tolerar la ocupación por parte del titular del inmueble, bien antes de producirse, o bien después. Esa voluntad deberá ser expresa.

d) Que concurra dolo en el autor de la comisión del delito, lo que supone el conocimiento de la ajenidad del inmueble y de la ausencia de autorización para ocuparlo, además de la efectiva perturbación de la posesión del titular de la finca ocupada.

Sin embargo, cuando hay dudas sobre el consentimiento o voluntad de tolerar la ocupación o cuando la ocupación se produce como consecuencia de la finalización de un contrato de arrendamiento sin que la familia que alquilaba la vivienda haya podido devolver la posesión, en esos casos lo habitual es que la propiedad acuda directamente a la interposición de una demanda en la vía civil (desahucio por precario). Además, puede suceder que si la vía penal se archiva y la familia queda absuelta, la propiedad acuda a la vía civil para reclamar la posesión del inmueble por esta vía.

El delito de usurpación lleva aparejada la imposición de una pena de multa de tres a seis meses, en ningún caso pena de prisión. Eso significa que en el caso de condena, el juez impondrá una multa de entre tres y seis meses al condenado, salvo que fuera de aplicación alguna circunstancia atenuante o agravante que disminuyan o aumenten los meses de multa. Según el equipo jurídico de la Coordinadora de Vivienda, lo habitual es la imposición de una pena de tres a seis meses a razón de una cuantía diaria que varía en función de las circunstancias socioeconómicas de la persona condenada, desde un mínimo de dos euros a un máximo de 400 euros, y, según su experiencia, la pena más frecuente en los delitos de usurpación es la imposición de una multa de dos, cuatro o seis euros durante tres meses.

Por último, debe tenerse en cuenta que el delito de usurpación ha sido modificado por la reforma del Código Penal del 1 de julio de 2015, pasando a constituir un delito leve cuyo enjuiciamiento es el del antiguo procedimiento del juicio de faltas. Esto supone que mientras que antes se tramitaba bajo el procedimiento abreviado cuya instrucción y enjuiciamiento podía durar varios años –sin perjuicio de la adopción del desalojo como medida cautelar–, hoy se instruye y enjuicia como delito leve, lo que supone, a efectos prácticos, que el procedimiento únicamente dure varios meses.

Más de la mitad de los entrevistados para este estudio recibieron la visita de la policía en los primeros seis meses de ocupación, y el 42% de ellos fueron identificados en las primeras 48 horas.

Por otro lado, muchas familias han residido durante años en esta situación sin recibir notificación alguna.

Por si fuera poco, ciertos grupos dedicados al negocio de las 'llaves' pueden dejarse caer por la vivienda exigiendo un alquiler bajo amenaza de 'sacarlos del piso'. Los testimonios que llegan a las asambleas de vivienda sobre extorsiones en este sentido son cada vez más frecuentes; conocemos episodios de amenazas con pistolas y de agresiones físicas incluso dentro del domicilio. La denuncia de estas experiencias a la policía suele ser complicada tanto por el miedo a los extorsionadores como por el miedo a perder la vivienda, y en caso de decidirse a denunciar son frecuentes las trabas de la propia policía al no disponer de título legal sobre la vivienda.

"Me puso una cuerda alrededor del cuello y le di lo que tenía".

La información sobre los procedimientos legales, los límites de la actuación policial y los derechos como ocupante son clave para afrontar las visitas de la policía o de la propiedad de manera adecuada. La desinformación, unida al miedo, suele desencadenar una espiral de malas decisiones que acaban nuevamente con la pérdida de la vivienda. Sin embargo, el conocimiento del proceso judicial unido a una actitud firme y dialogante con la propiedad son herramientas esenciales para conseguir una solución, un alquiler.

Otros negocios sobre la vivienda vacía

A pesar de que el presente documento tiene como principal objetivo definir qué defendemos, cómo y por qué, no queremos que quepa la menor ambigüedad, por lo que decidimos aclarar de manera explícita aquello que NO se defiende en los colectivos de vivienda.

Nuestra comunidad vive un contexto de especulación salvaje sobre la vivienda, el mercado de alquiler deja fuera a muchas personas por la falta de empleo o precariedad; además, permanecen apartadas de la oferta numerosas viviendas a la espera de ser vendidas en lotes una vez aumente su valor.

A través de los testimonios escuchados en las asambleas, vemos cómo proliferan diversas actividades que, entremezclándose con el derecho a la vivienda, esconden otros intereses, poniéndonos muchas veces en situaciones muy tensas e incluso peligrosas. Presentamos un análisis crítico de este contexto:

a) Compraventa de llaves de viviendas vacías

Se entiende como tal la operación en que se adquiere copia de las llaves de una vivienda vacía de alguien que no tiene título de propiedad sobre ella. Consecuentemente, en este acuerdo no media contrato legal de compraventa del inmueble, y tampoco de alquiler. Es frecuente encontrar contratos entre particulares, con nombres falsos o incluso con falta de ellos, sin ninguna validez.

La Coordinadora de Vivienda de Madrid no apoya ni fomenta la compraventa de llaves, en primer lugar porque supone hacer negocio con el sufrimiento y la necesidad urgente de un techo, en segundo lugar porque es una operación muy arriesgada en la que casi siempre se desconocen tanto la situación legal del inmueble (procedimientos, propietario) como las intenciones últimas de quien lo vende.

Por poner ejemplos concretos, al entrar en una vivienda de la que se desconoce tanto su situación actual como a nombre de quién está registrada su propiedad, puede darse el caso de que llegue una orden de desalojo en cuestión de días derivada de un procedimiento judicial en curso, pueden sufrirse extorsiones para el cobro de un alquiler, e incluso recibirse visitas de antiguos inquilinos con contrato en vigor, sin olvidar por supuesto las acciones que pueda emprender el propietario del inmueble. Se conoce de primera mano esta realidad, pues muchas personas acuden a las asambleas pidiendo asesoramiento una vez se han visto envueltas en la problemática asociada a esta práctica ya generalizada. Además, los colectivos de vivienda son un foco de atención para los que venden llaves, que de manera discreta rondan las asambleas en busca de clientes.

Considerando que siempre se defiende la ocupación de viviendas como medida de emergencia ante una inminente situación de calle, con el claro objetivo de conseguir regularizar la situación a través de la negociación de un alquiler social y asumiendo que no todas las viviendas cumplen los requisitos para ello, se hace imprescindible un estudio previo que nos ratifique y garantice el cumplimiento de todos estos requisitos. Desde luego, todas las casas tienen su historia, y en este ámbito, como en todos, también hay manzanas podridas.

b) Ocupación de una vivienda con intención de negociar un desalojo

Este epígrafe hace referencia a la ocupación de una vivienda con fines lucrativos y, por tanto, no tiene nada que ver con la ocupación en precario. Esta tipología de ocupación surge a raíz de ciertas conductas de negociación de tenedores de vivienda y, sobre todo, de su difusión en medios de comunicación.

Es frecuente encontrar gestorías o sociedades de mediación, contratadas por grandes tenedores y entidades de crédito, que contactan con los ocupantes para negociar desalojos de manera extrajudicial. Lo habitual es que simplemente minen la voluntad de permanencia en el piso, haciendo ver a los ocupantes las posibles consecuencias de una denuncia por usurpación. En los casos en que no hay salida voluntaria, en el plazo de unos meses, cierran el expediente y comienzan los trámites judiciales de desahucio. Este planteamiento, ciertamente, deja sin opción a quienes ocupan, pues cuando el propietario del inmueble se niega a negociar la opción del alquiler, el desalojo es prácticamente imparable.

Debido en gran medida a los sensacionalistas medios de comunicación, se ha hecho fuerte la idea de que bancos y fondos de inversión ofrecen una importante suma de dinero a cambio de abandonar los pisos ocupados. Desde nuestra experiencia, podemos afirmar que no es una práctica generalizada, que no existe un precio de mercado para este tipo de operación, y que desde luego trae consigo una compleja situación difícil de gestionar, sobre todo para personas en situación de gran vulnerabilidad social y precariedad económica. Tentar a las familias con la oportunidad de ingresar un dinero que cubra las necesidades más urgentes a cambio de perder el techo es delirante.

La Coordinadora de Vivienda de Madrid una vez más expresa su oposición ante estas prácticas, porque es inaceptable que se ponga precio al derecho a la vivienda, cuando no existe otra alternativa más que una nueva ocupación. Con esta actuación, las personas ocupantes vuelven a situación de calle mientras el propietario y las administraciones eluden el problema, simplemente rebotándolo a otro lugar.

La idea de que este dinero pudiera facilitar el acceso a una vivienda en alquiler es casi siempre una utopía por la falta de ingresos estables, avales y por el alto precio de mercado. Una solución estable a medio plazo requiere un alquiler asumible; no basta con el abono de tres mensualidades de golpe. En cualquier caso, es comprensible que ante esta disyuntiva, las personas accedan al abandono voluntario a cambio de un importe económico y del archivo del caso en el juzgado.

Pero en este apartado dedicado a 'otros negocios' lo que resulta importante subrayar es que hay quien ve en estas medidas una oportunidad de ganar un dinero extra. Es decir, más allá de las personas que se encuentran con esta oferta de desocupar un piso sin opción a negociar un alquiler, hay quien lo busca. En los barrios y pueblos esta información corre como la pólvora y a las asambleas se han acercado personas que directamente consultan qué entidades son las que trabajan con este sistema y a cuánto están pagando los desalojos últimamente. Se trata, por tanto, de personas que directamente no tienen un problema de vivienda, pero que estarían dispuestas a abrir un piso y defenderlo hasta cerrar un acuerdo económico.

Estas intenciones de negocio están fuera de la política que defiende la Coordinadora y, por tanto, no las consideramos legítimas. Ni es legítimo ni se debe llamar por ninguno de los varios términos que utilizamos en este estudio —recuperación, okupación, ocupación, obra social—, ya que no supone darle uso a una vivienda vacía, sino especular con ella. En los casos en que no se ha detectado este propósito a tiempo, se ha malgastado el valioso esfuerzo de los compañeros, sumado al riesgo de dejar en entredicho el nombre de la PAH o grupo de vivienda.

El papel de los medios de comunicación en el conocimiento social de la okupación

La información periodística es un recurso estratégico clave por ser un elemento fundamental de la construcción social de la realidad. Las noticias constituyen la fuente primaria de una gran parte de las representaciones simbólicas sobre la política que circulan por la sociedad.

Por su parte, el trabajo periodístico contextualiza la información atribuyendo significados a los hechos y configurando el conocimiento social, y los medios de masas ostentan el poder de orientar la atención de la ciudadanía hacia determinadas cuestiones en detrimento de otras.[62]

Vamos a analizar en este apartado la importancia del papel de los medios de comunicación, sus implicaciones políticas y sus consecuencias en las personas que ocupan.

El lenguaje es fundamentalmente social. Es improbable pensar ni hablar fuera de un sistema de lenguaje construido y sostenido socialmente. Los términos que se emplean para referirse a tal o cual acontecimiento o idea siempre están inmersos en unos códigos connotativos, ciertos significados relacionados, aunque no directos, que aportan un sentido que va más allá del literal.

"Convertir un hecho en noticia es básicamente una operación lingüística. Mediante la selección de las connotaciones y la

---

62. Ripollés, 2009.

forma de redacción de los titulares, los medios de comunicación transmiten su propia ideología. Sin entrar ahora en el debate del código deontológico del periodista, es cierto que la selección de los acontecimientos que se cubrirán como noticia, su extensión, las imágenes que lo acompañan y la ampliación de la noticia en sucesivas ediciones responden a una intención. También se es consciente de que la información transmitida en un titular condiciona necesariamente la lectura del cuerpo de la noticia. Se consideran informaciones manipuladas aquellos titulares incompletos, los innecesariamente completos, los que apuntan una generalización de su alcance, la presunción de implicaturas o de ciertas relaciones de causa y efecto y la selección léxica".[63]

La fuerza de los medios de comunicación es incuestionable. Los medios exponen, amplifican, reafirman y legitiman discursos; además, tienen el efecto de conseguir un acuerdo generalizado sobre los temas más importantes de cada momento. Existe una visión social, una ideología que pretende ser exclusiva e incuestionable –el 'pensamiento único', según Ignacio Ramonet–, que sostiene, entre otras, las tesis de la hegemonía absoluta de la economía sobre el resto de los dominios sociales, el mercado como mano invisible capaz de corregir cualquier tipo de disfunción social y la importancia de la competitividad. Existen a su vez fuerzas financieras, políticas y mediáticas que otorgan predominio a esta ideología; lo que ocurre es que "quienes la sustentan no creen que el suyo sea un modo de ver el mundo, sino el único modo sensato

63. Forgas Berdet, 2013.

121

de verlo", tal como apuntaba Javier Ortiz.[64] Por todo lo anteriormente expuesto, el control de los medios es una prioridad para los actores políticos al objeto de estructurar la esfera pública conforme a sus intereses y objetivos.

Las representaciones que ofrecen los medios son cada vez más homogéneas y simplificadas debido a la concentración en grandes plataformas multimedia y a un monopolio informativo que responde a intereses económicos. Existen fuertes intereses respecto al problema de oferta y demanda de vivienda, y la información es un arma muy poderosa de manipulación de la opinión pública. La relevancia que se otorgue a un tema o su omisión determina la actualidad informativa, y el uso recurrente de calificativos, expresiones o frases hechas condicionan el ideario colectivo.

El tratamiento en los medios de masas del tema de los desahucios, las acciones de la PAH como la campaña de escraches, las medidas del Gobierno en materia de vivienda o la problemática en torno a la ocupación de viviendas vacías responden a objetivos concretos.

Según el periódico *Diagonal*,[65] tomando como termómetro la web del periódico *El País*, si buscamos el término "PAH", encontramos 0 apariciones en 2010, subiendo a las 473 en 2013, y de ahí en descenso; sin embargo, ocurre a la inversa si buscamos la palabra "okupa", que apareció en 84 informaciones publicadas en 2013, para pasar a 176 en 2014 y contar ya 80 en la primera mitad de 2016.

Es habitual que las PAH y el resto de colectivos de vivienda de

64. Ortiz.
65. "(Dan)causa general contra la okupación", 2016.

Madrid reciban llamadas de periodistas buscando un desahuciado 'a la carta' para cubrir una noticia que prácticamente ya tenían redactada o que reciban la negativa de los medios a cubrir acciones de *stopdesahucios* por no ser de actualidad en ese momento.

Ahora bien, las noticias en tanto que comunicaciones requieren cierto grado de interpretación subjetiva; la ideología que se encuentra tras la redacción de una noticia necesita de los conceptos del lector para ser interpretada. Cada uno catalogamos los mensajes desde nuestra propia mentalidad, conocimientos y referencias. Hay margen para la visión crítica. Y hay medios alternativos de información o contrainformación.

Como colectivo protagonista de muchos artículos relacionados con desahucios y acciones de protesta y, por supuesto, desde la ideología que lo identifica, la Coordinadora pasa a analizar los siguientes discursos que se han detectado en los medios:

● Relacionar a las vecinas okupas con la inseguridad ciudadana, la conflictividad vecinal y comportamientos delictivos

Es frecuente leer titulares sobre "okupación" que encabezan noticias sobre otro asunto. Así, en la web de la Cadena Ser titulan la intervención de una oyente anónima: "Han okupado un piso de nuestra comunidad y la convivencia es insoportable".[66] El post contiene el testimonio de una vecina que denuncia que los okupantes de un piso, propiedad de la SAREB, incurren en impago de los suministros a costa de la comunidad y tienen actitudes de mala convivencia como ruidos o riñas.

---

66. "Han ocupado un piso de nuestra comunidad y la convivencia es insoportable", 2014.

Lo cierto es que son dos cuestiones habituales dentro de una comunidad, y de hecho el asesor da respuesta a estas dos cuestiones sin entrar en el tema de la titularidad del inmueble. ¿Es necesario arrancar el titular con la okupación?

Un buen ejemplo sobre cómo se enfoca la relación entre ocupación y conflicto lo encontramos en la situación que recientemente vivieron los vecinos del PAU de Vallecas. Bajo el titular "Mafias de okupas atemorizan a cientos de vecinos en Vallecas"[67], el diario *ABC* relata la realidad que viven los vecinos de ciertos bloques de viviendas del PAU de Vallecas a los que califica como vecinos 'legales', apuntando como principal fuente de conflicto el tráfico de drogas en el desarrollo de la noticia.

La situación que se vive allí tiene como origen la venta de estas viviendas propiedad del antiguo Instituto de la Vivienda de Madrid (IVIMA) a Encasa Cibeles, una filial de Goldman Sachs. A partir de ahí, estas viviendas fueron ocupadas, según relatan los vecinos, por cierta mafia de la droga que además hace negocio abriendo puertas a quienes necesitan un piso donde vivir. Termina el artículo con este testimonio: "Lo único efectivo es que les sorprendan delinquiendo y que les desahucien".

Nosotros llamamos a la reflexión y al análisis de la complejidad de la situación del PAU. ¿Es la ocupación el verdadero problema? ¿Qué hay del desmantelamiento del parque de viviendas de la Comunidad de Madrid y el desalojo de las familias que residían allí? Y lo más grave, el tráfico de drogas, las reyertas y los disparos en plena calle ¿no son un problema en sí mismo? No se puede confundir la ocupación de un piso con las actividades que se desarro-

67. "Mafias de okupas atemorizan a cientos de vecinos en Vallecas", 2016.

llen en él. ¿Quiénes son estas mafias? Si se trata de los traficantes de la Cañada Real, tal como apunta el texto, ¿se sabe quiénes son exactamente? ¿Por qué razón se han trasladado allí? Y de cara a la gestión de todo este escenario de conflicto, ¿qué están haciendo nuestras instituciones al respecto? Cierto es que la usurpación de un bien inmueble a veces es considerada como delito —es un juez quien determina cuándo una ocupación es delito, como ya hemos aclarado anteriormente—, pero poner el foco en ello no solo desvía la atención de las verdaderas causas y origen de los problemas en el PAU, sino que refuerza la relación de los conceptos "okupa" y "delincuente", algo que hace un flaco favor a quienes ocupan por motivos de precariedad.

En la línea del artículo anterior, *El Mundo* cubre la protesta convocada por la Asociación de Vecinos del PAU y por los Afectados por la Venta de Viviendas del IVIMA (AVVI) para denunciar las 123 casas okupadas por grupos organizados que llegan a comercializar luego con los pisos y que amenazan al resto de los vecinos.

En el artículo, las asociaciones denuncian la pasividad de las instituciones, incluido el IVIMA, y aclaran que "no es lo mismo okupar que acosar o amenazar. No es lo mismo convivir que destruir. No es lo mismo reclamar una vivienda que traficar con ellas".

Sin embargo, el titular reza así: "Protesta en Vallecas contra las mafias que okupan los pisos".[68] De nuevo la okupación acaparando el protagonismo que no le corresponde.

Consultada la AVVI de cara a documentar el presente capítulo,

68. "Protesta en Vallecas contra las mafias que okupan los pisos", 2016.

ha manifestado que el PAU de Vallecas ha sido presa de un acoso mediático para denunciar una 'okupación' que se quería criminalizar englobando cualquier circunstancia. Insisten en que lo que no recogen los medios es que la AVVI puso el foco en la delincuencia organizada que se forjó en esta zona de la ciudad, defendiendo en todo momento a familias que estaban ocupando viviendas en esos edificios por necesidad, no solo a los legales adjudicatarios. Familias, unas y otras, atemorizadas en sus propias viviendas.

Según esta asociación, "ha sido una campaña orquestada no solo por los medios de comunicación del *establishment*, sino por las formaciones políticas liberales tanto municipales como autonómicas. Uno de los propósitos podría ser la legitimación de la venta de viviendas a fondos de inversión y establecer la idea de que la vivienda pública crea un entorno en los barrios de conflictividad social, ya que apenas se hacía referencia al origen del problema, la falta de mantenimiento y gestión de los edificios vendidos a los fondos de inversión".

Así es como ilustra su consultorio inmobiliario *El Confidencial*.[69] Se trata de una imagen seleccionada de entre los millones de imágenes que tienen a su disposición como usuarios de Getty Images, empresa dedicada a la creación y distribución de imágenes. Es más que evidente la intención de su mensaje.

La imagen encabeza una consulta formulada por una vecina respecto de un piso de su comunidad, adjudicado a una entidad financiera. Es un hecho constatable que muchas comunidades de propietarios se ven en serias dificultades para que los adjudicata-

69. "Tengo unos vecinos okupas en un piso embargado por un banco, ¿qué puedo hacer?", 2016.

Consultorio Inmobiliario

Tengo unos vecinos okupas en un piso embargado por un banco, ¿qué puedo hacer?

Hemos intentado hablar con ellos porque no podemos permitirnos pagar un abogado, pero no nos hacen caso. Tampoco al banco que se quedó la casa

rios –bancos y grandes tenedores de vivienda– asuman sus responsabilidades como propietarios de los inmuebles. ¿Eso es lo que refleja la imagen? Más bien apuntala el miedo en el vecindario a que una vivienda sea objeto de una ejecución hipotecaria y el miedo al posible nuevo habitante.

• Conceptos "okupación mafiosa" y "mafia okupa"

El origen de estos conceptos lo encontramos en el salto a los medios de comunicación en febrero de 2016 de cierto informe interno de la Federación Regional de Asociaciones de Vecinos de Madrid (FRAVM).[70] Dicho documento recoge información detallada y sensible sobre determinadas ocupaciones de viviendas

70. "La mafia okupa en Madrid – Cinco bandas perfectamente organizadas y violentas estarían controlando casi 1.000 pisos en la capital", 2016.

que, según las asociaciones de vecinos, han sido realizadas por bandas o grupos más o menos organizados con fines de lucro mediante el cobro por la apertura de puertas o falsos alquileres y aquellas que están generando situaciones de intimidación y agresividad sobre los vecinos, frecuentemente acompañadas por otros comportamientos delictivos e incívicos.

El tratamiento de estos conceptos en los medios resulta confuso. Tanto se usan para referirse a quienes utilizan un piso como centro de actividades delictivas tales como venta de droga, almacén de material pirata o guarda de perros de pelea, como a quienes negocian con viviendas vacías.

Es perverso encasillarles en un mismo término. En el primer caso, quienes se encuentran en el inmueble son los presuntos autores de una actividad delictiva, en cuyo caso sería más apropiado llamarles "mafia de droga" o "mafia de copias pirata"; en el segundo sus habitantes están dando al inmueble un uso de vivienda habitual y probablemente continúen siendo víctimas de extorsiones y amenazas por parte de quienes les facilitaron la entrada al piso.

Analicemos el siguiente titular de *El Mundo*: "La Policía habilita un teléfono gratuito para que los afectados informen de las okupaciones mafiosas".[71] El texto anuncia las medidas adoptadas por la Delegación de Gobierno de Madrid para evitar las 'okupaciones mafiosas' afirmando que "cuanto más reducido sea el tiempo de ocupación de los pisos, menos inseguridad y conflictos tendrán que sufrir los vecinos". El titular alude a los vecinos del

---

71. "La Policía habilita un teléfono gratuito para que los afectados informen de las okupaciones mafiosas", 2016.

inmueble ocupado como los "afectados", pero ¿qué hay de quienes habitan en el inmueble? ¿No serían ellos quienes deberían denunciar a la mafia y recibir protección?

• Crear alarma y promover la denuncia de las vecinas okupas

En el artículo de *El Imparcial* "Denunciar frente al miedo. ¿Qué se puede hacer si los 'okupas' llegan al vecindario?"[72] encontramos el ejemplo perfecto, y eso que es de 2009. Desde entonces este discurso ha crecido con fuerza.

El texto apunta que a causa de la crisis hay muchas personas que han sido empujadas a 'colarse' en inmuebles pendientes de derribo o de adjudicación, e incluso a cometer allanamiento de morada. Califica a estas personas de 'visitantes', los acusa de convertir la vivienda en su 'fortaleza' y alerta con la posibilidad de una "reacción violenta contra los vecinos si los delatan a las autoridades".

Por su parte, *Sabemos Digital* publicó un post titulado "La permisividad convierte a España en su paraíso. Los 'okupas' invaden también Internet",[73] donde se hace un repaso a los recursos *online* sobre ocupación, entre ellos la Plataforma de Afectados por la Hipoteca.

La presencia de un vecino sin título de propiedad o alquiler sobre la vivienda en la que reside no genera necesariamente problemas en una comunidad. Formular generalizaciones de este tipo,

---

72. "Denunciar frente al miedo. ¿Qué se puede hacer si los 'okupas' llegan al vecindario?", 2009.
73. "La permisividad convierte a España en su paraíso. Los 'okupas' invaden también Internet", 2016.

creando miedo a los problemas que pudiera traer consigo una familia por el simple hecho de haber recuperado una vivienda, sí crea dificultades en la convivencia. Pero que sean buenos o malos vecinos es un tema que estará por ver.

● Criminalización de la pobreza y de la defensa de los derechos humanos

Otro ejemplo que hay que considerar es la cobertura que dieron los medios de comunicación de la acción de *stopdesahucios* convocada por la PAH el 24 de julio de 2013 en el número 35 de la calle Unanimidad de Villaverde. Se trataba del tercer intento de desahucio promovido por la Empresa Municipal de Vivienda y Suelo de Madrid, tras haberse impedido los programados para el 14 de junio y el 8 de julio de ese mismo verano.

El martes 23 de julio se convocó la "Acampada Susana", un llamamiento a la red de personas comprometidas con el movimiento *stopdesahucios* para acompañar a Susana desde la madrugada hasta la llegada de los antidisturbios. El desahucio fue ejecutado tras acceder la policía antidisturbios al interior de la vivienda y sacar con violencia a las decenas de personas que permanecían en las escaleras ejerciendo resistencia pasiva.

En aquella ocasión, *El País* publicó "Once detenidos en el desahucio de una familia okupa en Villaverde".[74] Las detenciones son brutales e innecesarias y es necesario que se sepa, pero ¿cuál es la información que anunció el titular?, ¿a quién se desahució?, ¿quién promovió el desahucio?, ¿no es noticia que una familia procedente

74. "Once detenidos en el desahucio de una familia okupa en Villaverde", 2013.

de un desahucio se aloje en un piso vacío de la EMVS y que esta le niegue la posibilidad de un realojo o regularización de su situación?, y por último, ¿qué hay del desmedido dispositivo policial? Sin embargo, el titular pone el foco en su situación de okupa.

De manera distinta lo titula *Tercera Información*, cuya reportera fue también detenida: "Detienen a 24 personas que intentaban parar un desahucio #AcampadaSusana",[75] o *Kaos en la Red:* "100 antidisturbios para desalojar a Susana, Ángel y sus 2 niñxs. 24 activistas detenidas y liberadas".[76]

Foto: Alberto Astudillo.

Evidentemente, los episodios de represión policial deben denunciarse públicamente, pero ahondando en ello cabe preguntarse

75. "Detienen a 24 personas que intentaban parar un desahucio #Acampada-Susana", 2013.
76. "Madrid: 100 antidisturbios para desalojar a Susana, Ángel y sus 2 niñxs. 24 activistas detenidas y liberadas", 2013.

con qué finalidad se exponen. Las imágenes de violencia en los desahucios disuaden de acudir a las convocatorias en apoyo de vecinos y vecinas de cada barrio. Mucho peor son las consecuencias de estas informaciones en las personas que están a la espera de ser desalojadas. Existe la creencia de que los antidisturbios les sacarán a rastras de madrugada y que todas las personas podrán ser golpeadas o detenidas, por lo que abandonan la vivienda antes del lanzamiento. Gran parte del trabajo de los colectivos que trabajan por el derecho a la vivienda es desmontar las leyendas que giran en torno a la ocupación y a su defensa.

Por otro lado, son muchos los casos de criminalización del activismo, algunos rozando los límites de la moralidad, como las declaraciones vertidas en el programa *El día menos pensado* de Radio Nacional de España por Cristina Cifuentes, en aquel momento delegada del Gobierno en Madrid y actual presidenta de nuestra Comunidad Autónoma, sobre la supuesta vinculación de la Plataforma de Afectados por la Hipoteca con el grupo terrorista ETA: "Ada Colau y las personas que están en la plataforma antidesahucios han manifestado su apoyo, en determinadas ocasiones, a Bildu, a Sortu y a esos grupos que a mi modo de ver y el de muchos españoles tienen que ver con el entorno de ETA". Además, acusó a la PAH de llevar a cabo "una estrategia política radical" aprovechando la cuestión de los desahucios. Es frecuente el uso de calificativos como "antisistema", "radicales" y "violentos" cuando se habla de activismo.

En esta ola de criminalización que siguió a la campaña estatal de escraches[77] promovida por la PAH en 2013, cabe destacar, en

---

77. Campaña de acciones de señalamiento de los diputados/as de partidos po-

el contexto madrileño, la postura de Esperanza Aguirre, presidenta del PP de Madrid. En su blog personal escribió que las personas que participan en estas convocatorias de señalamiento son "imitadores del matonismo de los seguidores de ETA en el País Vasco", además de calificarnos como "energúmenos" y "violentos acosadores".[78]

Gerardo Pisarello y Jaume Asens, juristas y miembros del Observatorio de Derechos Económicos, Sociales y Culturales, analizan la criminalización de la protesta de la PAH en el contexto de recortes y emergencia social acompañados de escándalos sistemáticos de corrupción. En su artículo "La PAH también es ETA"[79], publicado en marzo de 2013, repasan episodios de criminalización y concluyen que "intentar vincular toda protesta social embarazosa a ETA es un recurso burdo en la mayoría de contextos, en este caso subleva de manera singular. De entrada, porque se utiliza contra una organización que desde un comienzo ha hecho pública su apuesta por la no violencia. En segundo lugar, porque con ello se banaliza la dramática situación de miles de familias desahuciadas que, a pesar de la paciencia exhibida, no han encontrado ninguna respuesta concreta a su situación".

líticos que manifestaron su rechazo (o no se habían pronunciado) a votar la Iniciativa Legislativa Popular presentada por la PAH en el Congreso con el apoyo de un millón y medio de firmas para modificar una ley hipotecaria injusta y que está provocando un drama social en nuestro país. En su protocolo de actuación para esta campaña la PAH remarcaba en negrita que "las acciones de la PAH siempre son pacíficas y rechazamos cualquier agresión, verbal o física".

78. "Aguirre relaciona los 'escraches' con el "matonismo" de los seguidores de ETA", Efe, 2013.

79. Gerardo Pisarello y Jaume Asens, "La PAH también es ETA", Publico.es, 2013.

Desviar la atención mediática a los límites de la protesta para ocultar su mensaje es la técnica de quienes se sienten amenazados por ella.

Foto: Alberto Astudillo.

• Utilización de la "okupación" como argumento de ataque político

Ciertas voces utilizan sin pudor la realidad de las 'vecinas okupas' como arma arrojadiza contra sus "adversarios políticos", como críticas a los llamados "gobiernos de cambio". Un par de ejemplos. En *Sabemos Digital*[80] encontramos expresiones como "España, paraíso de 'okupas'" o "los gobiernos que justifican cualquier tipo de 'okupación' están en la línea roja de cometer un acto constitu-

80. "La 'okupación', en las alcaldías del cambio", *Sabemos Digital*, 2016.

tivo de delito", dando voz al despacho M&R, especialistas en derecho inmobiliario. *ABC* lanzó en abril de 2016 el siguiente titular: "La casa 'okupa' de los ediles de Carmena: festivales pornográficos y 'antirrepresión'"[81] en referencia al desalojo del Centro Social La Morada. Y en agosto del mismo año, en relación a la organización de las Fiestas Populares de Lavapiés, pudimos leer: "Los okupas de Lavapiés hacen caja con las casetas cedidas por Carmena".[82]

Este recurso es frecuente en el discurso del Partido Popular. Sirva de ejemplo el concepto "okupas giratorios", que en clara referencia al concepto "puertas giratorias" el concejal del Partido Popular José Luis Martínez-Almeida Navasqües esgrimió el 14 de octubre de 2015 durante la sesión extraordinaria del Pleno del Ayuntamiento de Madrid, de carácter monográfico sobre el modelo de ciudad, en alusión a la defensa del Gobierno local al colectivo Patio Maravillas.[83]

• **Afirmar que en Madrid capital no hay desahucios, no siendo cierto, alimenta el discurso de que quien ocupa es porque quiere**

Las declaraciones que durante meses han formulado los políticos acerca de la paralización de los desahucios en Madrid han hecho mucho daño a las familias que ocupan.

La alcaldesa Manuela Carmena, ya el 24 de agosto de 2015,

---

81. "La casa 'okupa' de los ediles de Carmena: festivales pornográficos y 'antirrepresión'", *ABC*, 2016.

82. "Los okupas de Lavapiés hacen caja con las casetas cedidas por Carmena", *ABC*, 2016.

83. Sesión extraordinaria, celebrada el miércoles, 14 de octubre de 2015, a las 9:15 horas, 2015.

presumía en el programa *Hoy por hoy* de la Cadena SER[84] de haber conseguido, con la Oficina de Intermediación Hipotecaria[85] y con la ampliación del parque de viviendas municipal, solucionar los problemas de quienes se quedan sin casa. Además, se felicitaba porque los bancos están mostrando una "muy buena actitud" para rectificar las decisiones que tomaron al principio de la crisis.

Lo cierto es que solo podía referirse a los pocos expedientes cuya información llegó al Ayuntamiento, que, por experiencia, se puede demostrar que, a día de hoy, no ha encontrado una solución definitiva de alojamiento para estas familias, sino que se están posponiendo los desalojos una y otra vez a la espera de algún acuerdo con la banca o disponibilidad de vivienda pública.

Al cabo de dos meses, el 24 de octubre de 2016, la alcaldesa declaraba en *La Sexta noche* que "se producen algunos desahucios, pero en esos que se producen ofrecemos viviendas para que la gente no vaya a la calle".[86]

Las declaraciones de este tipo, encaminadas a justificar el cumplimiento de sus promesas programáticas, hacen un daño inconmensurable a todas las familias que sí han sido desahuciadas y/o viven en riesgo de serlo. Dichas manifestaciones ponen en cuestión la legitimidad de la ocupación como solución de emergencia ante la falta de alternativas, porque dan por supuesto que sí las hay. Dar a entender que nadie se queda sin alternativa en Madrid resulta perverso; cada vez que los medios se hacen eco de declara-

---

84. Carmena, *Hoy por hoy*, Cadena SER, 2015.

85. Servicio público y gratuito del Ayuntamiento de Madrid, prestado por profesionales expertos en intermediación con entidades financieras, especializado en temas de sobreendeudamiento familiar.

86. Carmena, *La Sexta noche*, La Sexta, 2015.

ciones sobre "el fin de los desahucios" las asambleas de vivienda deben arrojar el jarro de agua fría a sus vecinos: "No se refieren a vuestro caso".

El 5 de septiembre, la alcaldesa de la capital volvió a tocar el tema de la problemática de la vivienda en Madrid en el programa *La ventana de Madrid* de la Cadena SER.[87] En esta ocasión aprovechó una vez más para declarar que existen discrepancias con nuestras formas de defender el derecho a la vivienda, pues el Ayuntamiento siempre "discurre por las vías de la legalidad", y además matizó que, "aunque ciertas formas de protesta y de lucha fueron eficaces para mover la conciencia de los bancos y que la ejecución hipotecaria se parara, no son aplicables a las ocupaciones ilegales porque son ilegales y son inaceptables".

Las ocupaciones en precario existen. Como opción de vivienda digna, estable y adecuada son inaceptables, pero asumamos como sociedad que sí existen para poder poner en marcha una alternativa.

En esta misma intervención, la alcaldesa apuntó que las ejecuciones hipotecarias son un problema ya residual, pero lo cierto es que, según los últimos datos publicados por el INE, solamente en el segundo trimestre de 2016 ha habido 6.398 ejecuciones hipotecarias de vivienda habitual, de las cuales 999 son en Madrid. Esto sin olvidar las ejecuciones que actualmente están paralizadas por la 'moratoria' y los casos en que la familia abandona la vivienda antes de la ejecución. Quitar importancia al problema hipotecario también es inaceptable.

87. Carmena, *La ventana de Madrid*, Cadena SER, 2016.

Respuesta institucional

En este apartado repasamos desde una visión crítica el contexto actual a nivel institucional. La ocupación de viviendas implica a diversas instituciones: poder judicial, Delegación del Gobierno, comunidad autónoma y ayuntamientos, entre otras. Todas ellas inciden en la cotidianidad de quienes ocupan, en sus expectativas vitales y en su integración social, y son además actores necesarios en el desarrollo de una solución que haga efectivo su derecho a la vivienda.

Foto: Luis Hidalgo.

● Campaña judicial y policial

Desde que en 1995 fuese introducido el delito de usurpación de bienes inmuebles en el Código Penal, es numerosa la jurisprudencia dictada en torno a este delito. Como señala la sentencia 261/2015 de 22 de octubre de 2015 (Juzgado de Primera Instancia 1 de Mérida), dictada por la magistrada Eva de Alarcón Alonso, "se ha discutido hasta la saciedad en la llamada jurisprudencia menor acerca de si el bien jurídico protegido es la propiedad o la mera posesión y, por otra parte, desde una interpretación sociológica del precepto, se ha propiciado el advenimiento de un sólido cuerpo de sentencias de diversas Audiencias Provinciales, en las que late soterrada la necesidad de conciliar el derecho a la igualdad y el disfrute de una vivienda digna y adecuada –art. 47 de la Constitución Española– con el derecho a la propiedad privada –art. 33.2 de la Constitución y art. 348 del Código Civil–, cuya función social delimita su contenido, pero de acuerdo con las leyes, sin que nadie pueda ser privado de sus bienes y derechos sino por las causas legalmente establecidas".

De acuerdo a esta jurisprudencia, **no todo acto de ocupación es susceptible de ser calificado como delito,** sino únicamente aquel que realmente suponga un claro y manifiesto riesgo frente a los derechos posesorios de la propiedad. Se descartarían entonces las meras ocupaciones temporales, así como aquellas que afectan a bienes en estado de abandono, por ejemplo. Esta interpretación de la ley deviene en absolución en la mencionada sentencia de Mérida de octubre de 2015. Como tantas otras, puesto que hay que señalar la gran cantidad de sentencias dictadas respecto al delito de usurpación que acaban siendo absolutorias: Corrala Utopía (Sevilla), Bloc La Bordeta (Barcelona), Cadete, Llerena, La Dignidad (Madrid), ejemplos de sentencias penales absolutorias.

En algunos casos, el juez incluso llega a dictar sentencias del todo favorables a poner, por encima del derecho a la propiedad, el derecho a la vivienda, como el caso juzgado en junio de 2013 en Villena (Alicante), en el que el juez Joaquín María Colomina expresó en el auto de sentencia: "Sin duda, a la vista de los documentos médicos unidos a la causa, con el nacimiento del bebé con los problemas expuestos, resultaba atendible con preferencia al derecho de la propiedad, la vida e integridad física del prematuro, máxime teniendo en cuenta que aunque la meritada vivienda tenía propietario como consecuencia de una ejecución hipotecaria documentada en autos, la misma se hallaba vacía".

Tratar de llevar al terreno penal la ocupación de viviendas abandonadas por parte de personas y familias en estado de necesidad y sin ninguna alternativa habitacional es un absurdo desde todo punto de vista: por un lado, desde la judicatura se está señalando continuamente que la legislación civil es la más adecuada para dirimir el contencioso, descartando condenas penales. Por otra parte, la gran mayoría de las ocupaciones de vivienda se llevan a cabo por personas sin medios económicos para buscarse un alojamiento digno en el mercado privado ni alternativas públicas y sociales; por lo tanto, tras un juicio, ya sea penal o civil, del que resulte una orden de desalojo, esas personas obviamente buscarán otra vivienda vacía y ocuparán de nuevo, mientras su situación económica no mejore.

Pese a esto, las asambleas de vivienda y PAHs de Madrid, al igual que el resto del movimiento en el Estado, consideran que las órdenes que tiene la Fiscalía consisten en llevar los casos de usurpación por la vía penal, hasta sus últimas consecuencias. De este modo, las vecinas ocupantes de viviendas deben lidiar con sus problemas socioeconómicos y familiares a la vez que se ven sometidas a un acoso judicial que va más allá del tiempo durante el que han ocupado una vivienda: aun después de abandonar esa casa, bien sea por orden judicial o por haber encontrado otra alternativa, aun cuando la propiedad en estos casos se retire de la acusación, la Fiscalía sigue adelante con el juicio.

Y lo que es aún más grave, esto es así pese a que la Fiscalía General del Estado, en su informe de 2015, señala que los delitos de usurpación han sufrido un aumento del 92% en incoaciones y un 131% en calificaciones respecto al año anterior, y señala que "muchas conductas se dirigen contra los numerosos pisos que permanecen sin ocupar y que se han ido acumulando por algunas entidades financieras, ya sea por la quiebra de la promotora que financiaban, o por ejecuciones hipotecarias sin detectarse que respondan a actuaciones grupales u organizadas, sino que se trata de familias que desalojan la vivienda por propia iniciativa tan pronto como se realiza el requerimiento judicial".[88] En el mismo informe se hace referencia a que el aumento de este tipo de delito está expresamente relacionado con la época de dificultades que vivimos.

Nada nuevo bajo el sol, llevamos años señalando esta situación. Pero se plantean estas preguntas: ¿a quién le conviene seguir señalando a las vecinas ocupas como delincuentes?, ¿esto beneficia a la sociedad en su conjunto o a las entidades financieras propietarias de las viviendas?

La judicatura tiene un papel esencial en la defensa del derecho a la vivienda, y consideramos inaceptable el papel de comparsas del sistema financiero al que se han rebajado algunos jueces. Si hablamos del delito de usurpación, tienen una herramienta clara en sus manos: decidir que la propiedad tiene el camino civil para

88. Memoria presentada al inicio del año judicial por la fiscal general del Estado Consuelo Madrigal Martínez-Pereda https://www.fiscal.es/ memorias/memoria2015/FISCALIA_SITE/recursos/pdf/MEMFIS15. pdf, 2015, pág. 711.

recuperar la posesión de una vivienda, rechazando admitir como delito la ocupación de una vivienda abandonada como táctica de supervivencia.

Aun en caso de opinar lo contrario, y tramitar la denuncia pertinente como delito, tienen una segunda herramienta: la eximente de extrema necesidad.

Aunque finalmente tampoco consideren esta eximente y acaben condenando y dictando un desalojo, todavía tienen otra herramienta más, que tampoco suelen emplear: la sentencia del Tribunal de Derechos Humanos de Estrasburgo que obliga a parar un desalojo en tanto no haya una alternativa de vivienda por parte de las administraciones competentes.

Respecto a las actuaciones policiales, nos encontramos con diferentes formas de enfrentar una ocupación: desde la mera identificación de los habitantes para dar traslado al juzgado y a la propiedad, hasta el desalojo forzoso y la detención de las personas que se encuentran en el domicilio.

Habitualmente se constatan actitudes tendentes a culpabilizar a las personas que viven ocupando, tales como no atender denuncias y quejas presentadas por estas familias, como conflictos vecinales, por ejemplo, resueltas con frases como "pues no vivas de este modo" o "no podemos hacer nada". Asimismo, se relatan abusos de autoridad, tan graves que esperaremos a que finalice su recorrido judicial para hacerlos públicos.

En el caso de los edificios de Obra Social PAH, es habitual que se produzcan visitas policiales de manera recurrente, lo que propicia tensiones y contribuye a generar una sensación de conflicto. Además, supone una tensión que sufren de manera más acusada los menores.

● Censo de viviendas okupadas y 'comisario antiokupa'

En marzo de 2016, la Delegación del Gobierno en Madrid y la Fiscalía acordaron impulsar juicios rápidos y desalojos exprés en caso de usurpación ilegal. Estas medidas, lejos de estar encaminadas a resolver la problemática de todas estas personas que han visto vulnerado su derecho a techo y en ocasiones han sido engañadas, estafadas y extorsionadas, se dirigen a expulsarlas en el menor plazo posible, obligándolas a recuperar otra vivienda e impulsando la rueda desalojo/ocupación.

Muy poco después, el 19 de abril de este mismo año, el delegado de Salud, Seguridad y Emergencias, Javier Barbero, al ser preguntado en el Pleno de la Comisión Permanente acerca de las medidas previstas frente a la inseguridad que se vivía en el Ensanche de Vallecas, anunció la puesta en marcha de un censo tanto por parte de la Policía como por parte de los Servicios Sociales para tener datos cuantitativos y cualitativos.

En la propia página web del Ayuntamiento podemos leer las siguientes especificaciones del proyecto:[89]

- El censo diferenciará las viviendas ocupadas por mafias de aquellas en las que residen personas con necesidad y en el ejercicio de su derecho a una vivienda.

- Como consecuencia de las demandas de los y las vecinas de Ensanche de Vallecas se ha establecido un plan especial con líneas vinculadas a la mejora de la convivencia y la seguridad.

89. Ayuntamiento de Madrid, 2016.

- La Unidad Integral de Villa de Vallecas llevará a cabo un refuerzo de la presencia policial y patrullaje preventivo en los tres turnos.

- El Ayuntamiento promueve un enfoque integral para atender la complejidad de los problemas de inseguridad que se generen en la ciudad, con la colaboración de otras áreas municipales, así como del Gobierno Regional y la Delegación del Gobierno.

En relación a las llamadas "ocupaciones mafiosas", polémico término creado por la FRAVM, se anuncian estos dos dispositivos específicos:

- Establecer metodologías de trabajo que refuercen la implicación/coordinación con el Cuerpo Nacional de Policía, Decanato y Fiscalía para identificar autores e investigar los hechos delictivos.

- Hacer un censo de viviendas ocupadas cuantitativo y cualitativo (tipo de ocupación, por personas mafiosas, diferenciando las ocupaciones mafiosas o por personas con necesidad) en cuatro focos principales en Madrid: Ensanche de Vallecas, Viña de Entrevías, San Cristóbal de los Ángeles y Alto de San Isidro. Todo ello con la recopilación de datos de Policía Municipal, Juntas Municipales de Distrito y la FRAVM.

En sus declaraciones, Javier Barbero insistió en que se trata de una problemática social que afecta a una necesidad básica como es el derecho a techo y que hay que dar una respuesta habitacional a todas las personas que por necesidad han sido víctimas de estas mafias o que, por no tener otra alternativa, están abocadas a buscar soluciones desesperadas. En nuestra opinión y a pesar de estas declaraciones, se trata de una batería de medidas enfocadas a solventar un problema de inseguridad ciudadana, desatendiendo su componente social.

El mismo día, la delegada del Gobierno en la Comunidad de Madrid, Concepción Dancausa, acompañada por el jefe Superior de Policía, Alfonso Fernández Díez, presentó públicamente al inspector jefe, Sergio Gámez Hortal, nombrado coordinador provincial de Seguimiento de Viviendas Ocupadas, figura policial encaminada a evitar las usurpaciones calificadas como "mafiosas" y que rápidamente se popularizó como el "comisario antiokupa".

Dicha figura pretende ser el punto de contacto entre la ciudadanía, unidades policiales e instituciones implicadas en asuntos de ocupación/okupaciones y se ha habilitado un teléfono gratuito y una dirección de correo para denunciar anónimamente las ocupaciones/okupaciones.

Tal como recoge la página web de la Secretaría de Estado de Administraciones Públicas,[90] el protocolo de actuación previsto pretende agilizar los procesos desde la detección de un piso ocupado hasta el inicio de un juicio rápido, siendo este asunto una prioridad para el Gobierno.

Basándose en la información facilitada por vecinos y vecinas que se han reunido con el comisario Gámez, estos relatan que según el mando policial, el censo 'cualitativo' realizado hasta ahora divide los casos de ocupación en cuatro categorías: "okupas sociales" o por necesidad; "okupas étnicos", en referencia a la etnia gi-

90. http://www.seap.minhap.gob.es

tana; "okupas extranjeros", que revenden o alquilan los pisos, y "okupas antisistema y 15M", que ocupan edificios enteros. La clasificación nos resulta insultante, por su contenido xenófobo, racista y clasista.

Su discurso, que acompaña esta batería de medidas, criminaliza la pobreza y a la gente que ocupa, relacionándola con ruidos, peleas, suciedad, drogas, coacciones, además de confundir interesadamente usurpación con allanamiento. Es imprescindible aclarar que entrar en una casa que está habitada (que constituye morada en lenguaje legal) NO es ocupar, sino un delito mucho más grave: allanamiento de morada. Y, por supuesto, no tiene justificación alguna para nuestro movimiento.

Existe gran interés en elaborar un protocolo que sea aprobado por el juez decano y por la Fiscalía de Madrid para evitar caer en actuaciones ilegales (algo que ya están bordeando). El diagnóstico de quienes viven ocupando en precario no puede dejarse en manos de la Policía. En el contexto de miedo e inseguridad que viven muchas vecinas, el interlocutor adecuado para acercarse, conocer su realidad, registrarla o valorarla debe tener formación específica; debe gestionarse desde el Área de Servicios Sociales, no desde Seguridad.

La labor de la Delegación del Gobierno en esta materia está centrada en la actuación policial, y fruto de las reuniones con asociaciones de vecinos, entidades bancarias e instituciones como el juez decano de Madrid y la Fiscalía de Madrid, se pretende acordar medidas como la promoción de la pronta denuncia por parte de las personas titulares de viviendas, mediante la habilitación de medios gratuitos y anónimos de aviso por parte de la ciudadanía, el impulso de juicios rápidos y la petición de medidas cautelares por parte de la Fiscalía para obtener el desalojo inmediato de los ocupantes. Las citaciones con un día de antelación y las órdenes de desalojo sin personalizar a "ocupantes del inmueble" son ya una práctica habitual y, además, a migrantes en situación irregular se les podrá iniciar un proceso de expulsión.

La puesta en marcha de este operativo de localización y desalojo de viviendas ocupadas, sin atender a la garantía del derecho a la vivienda de sus ocupantes en precario, es echar leña al fuego en vez de sofocarlo. Es imprescindible diseñar un procedimiento que determine la vulnerabilidad de los vecinos y vecinas para encontrar soluciones alternativas de tenencia en la vivienda.

Tras la sesión del 21 de septiembre del Consejo de Seguridad de Madrid y la Junta Local de Seguridad en la Delegación del Gobierno, que tienen lugar cada seis meses y son copresididas por la delegada del Gobierno en la Comunidad de Madrid, Concepción Dancausa, y la alcaldesa de Madrid, Manuela Carmena, se hicieron públicos los resultados de la Oficina de Seguimiento de Viviendas Ocupadas tras sus primeros cinco meses de actividad. Se han registrado 3.343 denuncias que han hecho posible la identificación de 634 personas que han usurpado y 1.398 viviendas ocupadas, de las cuales 1.205 están ubicadas en Madrid capital. Además se informó de que en este tiempo se han llevado a cabo 112 lanzamientos y se han detectado cuatro posibles organizaciones criminales que actúan en este ámbito.[91]

No se dispone de más información sobre la situación de las 1.398 viviendas, de quiénes las ocupan, ni de aquellas personas que han sido desalojadas, dejando en el olvido el aspecto social, como se temía.

91. Durán, 2016.

Según el censo de viviendas ocupadas realizado hasta ahora, y publicado en el diario *El Mundo* en julio de 2016, se señalan más de 100 en los distritos de Usera/Villaverde (163), Carabanchel (148), Puente de Vallecas (144), Ciudad Lineal (137) y Villa de Vallecas (120).[92] Si el comisario Gámez se hubiese tomado la molestia de consultar los datos del paro del mismo mes, tendría una visión más justa y menos xenófoba del problema, y hubiese comprobado que el ranking es exactamente igual: en Usera, 10.840 personas inscritas como paradas (4.786 paradas de larga duración); Villaverde, 12.533 (5.646); Carabanchel, 18.802 (8.115); Puente de Vallecas, 21.403 (9.896); Ciudad Lineal, 12.867 (5.539), y Villa de Vallecas, 7.982 (3.707).[93]

Aunque parezca una obviedad, recordamos que las familias desahuciadas o desalojadas no se esfuman, no desaparecen. Desalojar a personas sin alternativa habitacional ni medios económicos tiene como consecuencia evidente una nueva ocupación. Las personas ocupantes de viviendas que se ven en la obligación de abandonarla, sea por una orden judicial, por extorsiones, por amenaza o por un acuerdo con la propiedad (a cambio de archivar el procedimiento judicial y, en ocasiones, además, a cambio de un importe económico), van dejando vacíos los pisos, trasladando el problema a otro bloque en una espiral absurda. Desalojar viviendas sin alternativa es un disparate.

- **Reglamentos de adjudicación de vivienda pública**

En referencia a las soluciones de realojo de las familias que están

92. Durán y Bécares, "La Policía registra 15 avisos de okupaciones al día", *El Mundo*, 2016.

93. Subdirección General de Estadística, Ayuntamiento de Madrid, 2016.

ocupando por haber perdido su vivienda habitual, se considera pertinente valorar la vivienda pública existente en Madrid y su gestión.

En cuanto al Ayuntamiento de Madrid, en el *Reglamento de adjudicación de viviendas con protección pública afectas a los programas municipales de vivienda a aplicar por la Empresa Municipal de la Vivienda y Suelo de Madrid, S.A.*, aprobado en 2012, y recientemente modificado, se penaliza expresamente en su artículo 5e a las familias que ocupan un piso de "titularidad del Ayuntamiento de Madrid, Comunidad de Madrid o EMVS sin título legítimo para ello en el momento de la solicitud o con posterioridad a la misma", impidiendo su inscripción en el Registro Permanente de Solicitantes de Vivienda (RPSV) durante 10 años.

En marzo de 2016, la Junta de Gobierno presidida por Manuela Carmena aprobó un proyecto de modificación puntual del mencionado Reglamento de adjudicación del que rescatamos los puntos que afectan directamente a quienes ocupan.

La propuesta modificaba, entre otras muchas cosas, el mencionado artículo 5, de requisitos de los solicitantes par su inscripción en el RPSV. Concretamente, en el apartado referido a los ocupantes de vivienda pública sin título legítimo, la nueva redacción eliminaba el segundo párrafo, quedando únicamente penalizada la ocupación "en el momento de la solicitud o con posterioridad a la misma".

La Coordinadora de Vivienda de Madrid, junto con otras entidades sociales, ha formulado alegaciones a dicha modificación proponiendo la eliminación completa de este requisito para la inscripción como solicitante. Como criterio unificado, el requisito que debería considerarse es la acreditación de necesidad de vivienda. Además, muchas familias han 'okupado' viviendas públicas por la propia mala gestión de la EMVS, que, aun cuando mantiene viviendas vacías y sin adjudicar, no ha actualizado debidamente la reducción de renta, provocando el impago de las familias.

Otro aspecto de la modificación del Reglamento propuesta por el Gobierno y que atañe directamente a quienes viven en riesgo de perder su vivienda es el Capítulo VII, que regula el Régimen Especial para Situaciones de Atención Prioritaria, determinando en su artículo 26 las situaciones que se entenderán como tal. La pérdida o privación de la vivienda se especifica así:

a) Pérdida o privación de la vivienda en la que se reside por sentencia judicial firme dictada en procesos de desahucio por las siguientes circunstancias:

1º. Falta de pago de las rentas cuando la renta impagada supere el 30% de los ingresos mensuales de la persona o unidad familiar, siempre y cuando quede acreditada una situación general de precariedad económica e insolvencia.

2º. Las dictadas en procesos de desahucio por ejecución hipotecaria, cuando quede acreditada la insolvencia económica familiar para satisfacer su necesidad de vivienda en el mercado libre de alquiler.

Se considera que las situaciones de atención prioritaria deben definirse de tal manera que den cabida a la diversidad de situaciones de emergencia habitacional, en lugar de definiciones de circunstancias específicas. Así pues, una redacción amplia y genérica de pérdida de vivienda, siempre supeditada al estudio individualizado de cada caso, se adaptará mejor a la realidad.

Foto: Álvaro Minguito.

Debido a la disparidad de opiniones respecto a la modificación del reglamento, fue retirada su aprobación del orden del día del Pleno municipal de abril de 2016.

Meses después, en el Pleno celebrado el 28 de septiembre, la modificación fue aprobada con tres acuerdos transaccionales, entre los que se encontraba el acuerdo que recogía que "el solicitante no podrá estar ocupando un inmueble del Ayuntamiento, la Comunidad o la EMVS sin título en el momento de la solicitud o con posterioridad, salvo situaciones excepcionales que evaluarán los Servicios Sociales de la EMVS". Será esta cláusula de excepcionalidad la que esperemos permita el acceso a la vivienda protegida de las personas que se encuentran ocupando en precario.

Considerando que el texto aprobado es de carácter puntual, debido a la emergencia de adjudicación de viviendas, se ha abierto un proceso de redacción para la elaboración de un nuevo reglamento, con la intención de recoger la diversidad de sensibilidades de las corporaciones y organizaciones sociales. Habiendo estimado un plazo de seis meses para la redacción del nuevo texto, es pronto para hacer balance.

Respecto a la Comunidad de Madrid, la situación es mucho más grave, al discriminar y penalizar expresamente a toda persona que viva ocupando cualquier vivienda, no solo las de titularidad pública.

Recientemente se aprobó el Decreto 52/2016, de 31 de mayo, del Consejo de Gobierno, por el que se crea el Parque de Viviendas de Emergencia Social y se regula el proceso de adjudicación de viviendas de la Agencia de Vivienda Social (AVS) de la Comunidad de Madrid, antiguo IVIMA.

En sus disposiciones generales, dicho reglamento dice textualmente: "La creación de este Parque de Viviendas de Emergencia Social obedece a la necesidad de prestar especial atención a la urgente necesidad de apoyo en el acceso a la vivienda que sufren aquellas personas que, como consecuencia de haber experimentado de manera sobrevenida una importante disminución en su capacidad económica, se ven afectadas por un inminente desahucio de la vivienda que constituye su residencia habitual y permanente, no disponiendo de otros recursos y medios para cubrir su necesidad de alojamiento". También afirma: "Con la misma finalidad de atención a aquellas familias especialmente afectadas en su situación socioeconómica en los últimos años, con objeto de apoyar su recuperación y evitar el riesgo de su exclusión social, se crea el denominado cupo de impulso familiar en el que quedarían incluidas aquellas unidades familiares en las que la adjudicación de una vivienda conllevaría altas potencialidades de recuperación e inserción social".

Sin embargo, cuando se leen los requisitos para poder ser adjudicatarias de una vivienda social de la AVS, se encuentran todas las trabas posibles dirigidas especialmente a las familias que viven ocupando, sin atender a las razones por las cuales viven en esa situación:

En el Capítulo I, artículo 9, sobre documentación básica, el apartado f) se refiere al "título de ocupación, en su caso, de la vivienda en que reside el interesado en el momento de formular la solicitud".

Dentro del Capítulo III, que regula el "Procedimiento de adjudicación de viviendas por especial necesidad", se especifican diversas situaciones graves que hacen necesario un cambio de vivienda: "Se considerarán situaciones de especial necesidad las relacionadas a continuación: a) Situaciones de lanzamiento inminente de la vivienda, como consecuencia de un proceso de desahucio judicial, acreditado fehacientemente mediante documento judicial con fecha prevista para el mismo o bien de lanzamiento ya producido en los seis meses anteriores a la fecha de solicitud. Esta situación solo se aplicará a la unidad familiar que ostentase el título legal de ocupación de la vivienda".

Si bien se contempla la adecuación de la superficie de la vivienda al número de participantes de la unidad familiar, la proporción de la renta respecto a los ingresos familiares, el uso de una vivienda compartida con otra familia y la residencia en precario con consentimiento del propietario, quienes se han visto en la necesidad de ocupar una vivienda quedan fuera de este procedimiento, según reza el artículo 14 f) de requisitos de acceso: "No encontrarse ocupando una vivienda o inmueble sin título suficiente para ello y sin el consentimiento del titular".

Por otro lado, el decreto contempla en su Capítulo IV un "Procedimiento de adjudicación de viviendas por emergencia social", concretando tales situaciones de emergencia en tres supuestos. Además de las familias con situaciones de dependencia o salud con residencia en infraviviendas, y de aquellas cuyas viviendas han sido afectadas por acontecimientos extraordinarios tales como atentados terroristas o derrumbes, el procedimiento contempla ciertas situaciones de pérdida de vivienda por desahucio. Concretamente, entran en este supuesto los desahucios de la vivienda habitual como consecuencia de una disminución sobrevenida de los ingresos de la unidad familiar tanto con fecha de lanzamiento inminente acordada por resolución judicial como aquellos cuyo lanzamiento se haya producido en los últimos tres meses.

Tal concreción en la definición de este supuesto acota excesivamente el número de familias solicitantes que pudieran acogerse a él, empezando por quienes salieron de un piso de alquiler sin una resolución judicial, o quienes perdieron su vivienda por acordar una dación en pago. Por si esto fuera poco, en este procedimiento también se excluye expresamente a las familias que viven ocupando. Así lo expresa el apartado d) de su artículo 19 sobre "Requisitos de acceso a las viviendas": "En los casos de desahucio, disponer de título legal de ocupación de la vivienda".

Por si no hubiese quedado lo suficientemente claro, entre la documentación que debe firmar quien solicita consta una "declaración responsable" en la que podemos leer:

DECLARO BAJO MI RESPONSABILIDAD:

I. Que ningún miembro de la unidad familiar del solicitante ha sido adjudicatario de vivienda pública durante los 10 años anteriores a la fecha de presentación de la solicitud de especial necesidad.

II. **Que ningún miembro de la unidad familiar solicitante se encuentra ocupando una vivienda o inmueble sin título suficiente para ello y sin consentimiento del titular.**

sigue..

III. Que los ingresos de mi unidad familiar en el año ..... han sido de .... euros y provienen de ... . (indicar origen).

Esto sitúa a las familias que viven ocupando en una espiral sin fin de ocupación, desalojo, rechazo institucional, nueva ocupación, nuevo desalojo...

Por todo lo descrito, se entiende que se está aplicando una doble condena a estas familias: además de la impuesta por el juez, la impuesta por la Administración de la Comunidad de Madrid negando el acceso a la vivienda social (pena que en ningún caso impone la justicia).

Se constata una vez más que se priva a las familias que viven ocupando de un derecho fundamental sin justificación alguna.

Tanto la Agencia de Vivienda Social de la Comunidad de Madrid como la EMVS del Ayuntamiento de Madrid han abierto procesos de regularización de ocupantes sin título. Pese a los llamativos titulares periodísticos, tenemos que aclarar que se trata de un proceso más complejo que la mera aceptación de la ocupación como alternativa válida: la nefasta gestión de décadas anteriores ha generado centenares de expedientes atascados, referidos a cesiones de vivienda irregulares, subrogaciones con algún tipo de problema y, también, ocupaciones en precario.

En ambas instituciones estas regularizaciones se producen tras un largo periplo, no exento de dificultades: los habitantes de esas casas tienen que demostrar documentalmente su situación de vulnerabilidad, la buena convivencia en el vecindario, y su regulari-

155

zación solo se llevará a término si cumplen con absolutamente todos los requisitos, además de circunscribir a un periodo de tiempo determinado la entrada en el domicilio. Y tendrán que abonar cuotas de alquiler y comunidad de vecinos hasta un máximo de cinco años atrás.

¿Cómo harán frente, pues, a una deuda pendiente que puede ascender a varios miles de euros, si su situación es de extrema precariedad económica? A nadie parece preocupar este extremo.

¿Por qué ocuparon en precario estas personas? ¿Tuvieron otra alternativa antes de tomar esa decisión? Tampoco parece que sea noticia hablar de las escasas adjudicaciones de vivienda del IVIMA en los últimos años, o un reglamento de adjudicación de la EMVS de Madrid que dejaba fuera a unidades familiares que ingresasen menos de 900 euros al mes.

Cuando se habla de "efecto llamada" respecto a la ocupación, deberíamos hablar de la política de vivienda en nuestra comunidad durante las últimas décadas, de las sucesivas burbujas inmobiliarias que hacen inasequible el acceso a la vivienda, de la actual burbuja en el mercado de alquiler y de la complicidad del poder judicial poniendo a millares de personas en la calle, vulnerando derechos recogidos en nuestra Constitución, en la Carta de Derechos Humanos, en el Pacto Internacional de Derechos Económicos, Sociales y Culturales (PIDESC), etc.

La Coordinadora de Vivienda de Madrid ha manifestado en numerosas ocasiones su disconformidad con las políticas en materia de vivienda de nuestra comunidad y se han presentado mociones en muchos ayuntamientos. La problemática no es uniforme en todo el territorio, y cada PAH o grupo de vivienda debe defender en su zona el derecho a la vivienda en el contexto específico de su localidad.

Ahora bien, a modo general, las principales exigencias respecto a los sistemas de adjudicación de vivienda pública son: **el reconocimiento del derecho subjetivo a una vivienda adecuada y la libre inscripción en los registros de solicitantes como primer paso hacia una política de Alquiler Social Universal.** Es decir, que se reconozca el derecho de cada persona a disponer de un lugar adecuado donde vivir y que se le permita solicitarlo a las instituciones en caso de carecer de él.

El parque público de viviendas es insuficiente y hay mucho margen de mejora en su gestión, pero no por ello hay que reducir la lista de demandantes. Un adecuado plan de vivienda deberá comenzar por conocer su demanda real, y la ampliación del número de viviendas disponibles ha de pasar necesariamente por la cesión de viviendas por parte de la SAREB, bancos y cajas, inmobiliarias y fondos de inversión.

Foto: Álvaro Minguito.

"Se llega a un punto en que no
hay nada más que la esperanza,
y entonces descubrimos que aún
lo tenemos todo".

José Saramago

Capítulo 4

LEGITIMACIÓN

La Obra Social como camino al cumplimiento del derecho a la vivienda para todas y todos

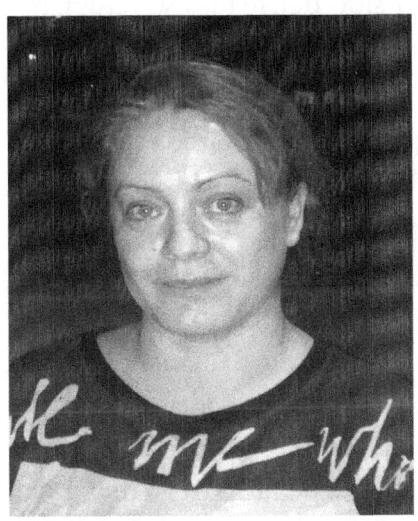

Foto: Asamblea Vivienda Latina.

Charo

"Hasta hace unos meses estuve empadronada en Puerta de Hierro, allí estará siempre mi hogar".

Rosario –Charo– forma parte de una extensa familia que se instaló en 1961 en unos terrenos hoy muy cotizados, en la madrileña zona de Puerta de Hierro. Cuando, en 2010, comenzaron los derribos de sus casas, residían unas 300 personas.[94]

Tanto el Ayuntamiento de Madrid (quien instó el desalojo y derribo, y reclama la propiedad de los terrenos) como la Comunidad de Madrid (a través del IRIS, Instituto de Realojamiento e Integración Social) se desentienden del destino de la mayoría de

94. Derribos ilegales en el poblado madrileño de Puerta de Hierro, 2011.

ellas. De las 54 unidades familiares, únicamente a 16 (las más antiguas) les conceden el derecho a ser realojadas, pero no así a sus descendientes, quienes crecieron, construyeron nuevas viviendas y formaron sus propias familias en años posteriores.

Charo, su marido y sus dos hijos son una de ellas. Desde que derribaron su hogar, en 2010, tuvieron que ir refugiándose de casa en casa, siempre bajo amenaza de nuevos desalojos: primero en casas de Puerta de Hierro que aún resistían a las grúas municipales, en tiendas de campaña y furgonetas. Cuando todas las casas de Puerta de Hierro habían sido derribadas se refugiaron en casas (ocupadas) de familiares que, a su vez, también habían sido expulsados de sus tierras.

Desde que perdieron su casa, y pese a ser rechazada su petición de realojo, tanto Charo y Ángel como el resto de la familia son solicitantes de vivienda social. Siguen en lista de espera.

Así durante cinco años. Hasta que las tensiones propias de la convivencia en pisos hacinados les llevan a tomar la decisión de recuperar una vivienda vacía, perteneciente a Bankia. Solicitaron que esta situación fuese regularizada por la entidad a través de un alquiler social, ya con el apoyo de la asamblea de vivienda del distrito (Latina). Todo en vano. En febrero de 2015 llegó una orden de desahucio por ejecución hipotecaria a nombre de los antiguos propietarios, y Bankia aprovechó la ocasión para desalojar la vivienda dejando aparcada la solicitud de alquiler social, y a Charo de nuevo en la calle.

En un primer momento, el Samur Social[95] alojó a Charo, Ángel

95. El Samur Social es un Servicio Social de Atención Municipal a las Emergencias Sociales, que se encuentra integrado en la red de respuesta de los Ser-

y los dos menores en un hostal. Pero no buscaron ninguna alternativa definitiva. Una semana después, ya estaban siendo presionados para dejar la habitación libre y "buscarse la vida".

La solución vino de la mano de la presión hacia otra entidad bancaria a la que Charo hacía tiempo había solicitado también un alquiler social a través de su programa de "alquiler solidario". A través de la asamblea de vivienda, se exigió la revisión del expediente, y funcionó: un mes después firmaron un contrato de alquiler social.

Charo ya no vive ocupando. Sus hijos, que ahora son uno más, tienen un hogar digno, estable y asequible. ¡Sí se puede!

Los terrenos de Puerta de Hierro siguen abandonados, no se ha construido nada allí. Tampoco ha vuelto a ser habitada la casa de Bankia de la que fue desalojada.

Introducción

Dejemos de ver la ocupación como un problema de seguridad que hay que remediar. Se trata de personas a las que la Administración no solo les ha dado la espalda, sino que se enfrentan a penas y condenas judiciales, y a la estigmatización y vulnerabilidad social.

La Coordinadora de Vivienda de Madrid tiene claro que el problema no es la ocupación; el problema es que se sigue desahuciando por impago de hipotecas y rentas de alquiler, que se ha desmantelado el ya insuficiente parque de vivienda pública y

vicios de Emergencias de la ciudad de Madrid (112 Emergencias Madrid, Samur Protección Civil, Policía Municipal, Bomberos...). Funciona las 24 horas del día y los 365 días del año. Se accede a través del teléfono, llamando al 112.

que no se cuenta con mecanismos que garanticen los derechos humanos.

Es arduo el trabajo de concienciación que los colectivos defensores del derecho a la vivienda vienen desarrollando en Madrid, sobre la realidad de nuestras "vecinas ocupas" y sobre el porqué de su situación, pues en el ideario colectivo persiste la criminalización de la pobreza y con ello el estigma de "ilegalidad" de quienes han sido maltratados con más dureza por la crisis económica, los fallos sistémicos y la inoperancia de nuestros gobiernos.

Como se ha visto en el capítulo anterior, ciertas declaraciones de nuestros gobernantes y el tratamiento que se da al tema en los medios de comunicación han fomentado el rechazo social a quienes más apoyo necesitan y han desviado malintencionadamente la atención hacia otras problemáticas que se cruzan en nuestra lucha, como los episodios de represión policial. También ha promovido confusiones tales como relacionar a las familias desahuciadas con las actividades delictivas del negocio mafioso de venta y alquiler de viviendas abandonadas.

Ante tanto ruido mediático, es nuestra obligación presentar de manera clara y razonada aquellas ideas que sustentan la **legitimidad de la recuperación de una vivienda vacía**, propiedad de una entidad financiera o de un gran tenedor, por parte de quienes han sufrido un desalojo de su hogar sin contar con recursos para satisfacer la necesidad de vivienda de ninguna otra manera y que han estado al desamparo de las administraciones. Por otro lado, y a pesar de que consideremos legítima la ocupación como solución de emergencia a una inminente 'situación de calle', estamos muy lejos de aceptarla como una realización del derecho a una vivienda digna y adecuada.

Para profundizar en los motivos que nos llevan a estas convicciones que son motor de nuestra lucha, se expondrán en las siguientes páginas conceptos como "derechos humanos", "vivienda adecuada", "seguridad en la tenencia" y "desalojos forzosos" intentado presentar un texto lo más esclarecedor posible. Asimismo analizaremos el impacto en la salud y expondremos nuestra valoración de las medidas emprendidas por el Gobierno y la legitimidad de nuestra exigencia a las autoridades tanto de un diagnóstico como de planes de acción contando con la participación de la sociedad civil.

Acabamos el capítulo con una mirada hacia un futuro donde nadie tema el desalojo y los alquileres sociales estén disponibles para todas. Y el camino hacia este futuro ya lo están trazando nuestras vecinas que han recuperado pisos de los bancos.

Foto: PAH Vallekas.

¿Es legítima la recuperación de una vivienda?

El paso previo necesario para dar respuesta a esta cuestión es definir de manera clara y concisa qué defendemos cuando los colectivos de la Coordinadora de Vivienda de Madrid afirmamos que la recuperación de una vivienda es legítima. Defendemos el derecho efectivo a una vivienda adecuada. Veamos en qué consiste.

Aunque no es el objeto de este documento realizar un análisis normativo del derecho a la vivienda, al menos nos parece imprescindible recordar que está recogido en la Constitución Española, en su artículo 47, y proclamado en el artículo 25 de la Declaración Universal de Derechos Humanos de Naciones Unidas y en el Convenio Europeo de Derechos Humanos (CEDH). Se encuentra además reconocido en la jurisprudencia del Tribunal Europeo de Derechos Humanos (TEDH), en la Carta Social Europea (CSE) y en el artículo 11 del Pacto Internacional de Derechos Económicos, Sociales y Culturales (PIDESC), entre otros.

Partiendo del más básico sentido común, todos estaremos de acuerdo en que cualquier persona, para el normal desarrollo de su existencia, requiere de un hogar, y que la ausencia de un alojamiento o la deficiencia del mismo puede imposibilitar el cumplimiento efectivo de otros derechos también reconocidos en nuestra Constitución, como la dignidad personal y el libre desarrollo de la personalidad (art. 10), la integridad física y moral (art. 15), la intimidad personal y familiar (art. 18), la educación (art. 27) y la salud (art. 45). Resulta evidente que en una casa sin calefacción ni iluminación adecuada, un estudiante se encuentra en peores condiciones de preparar un examen, que la imposibilidad de seguir una dieta variada y saludable tiene consecuencias en la salud o que las ayudas sociales que pudiera recibir una familia en cuestiones como educación, género o salud difícilmente llegan a cumplir su objetivo sin una vivienda estable como base.

Es decir, la vivienda no es un derecho que se pueda entender de manera aislada, sino que está relacionado con el desarrollo de la vida y, por tanto, está en conexión permanente con muchos otros derechos. De hecho, no solo la vivienda, sino todos los derechos humanos son **universales, indivisibles, interdependientes y están relacionados entre sí**, tal como esclarece la Declaración y Programa de Acción de Viena, fruto de la Conferencia Mundial de Derechos Humanos de junio de 1993. Considerando la interdependencia de los derechos económicos, sociales, culturales, civiles y políticos, que se refuerzan mutuamente, y su indivisibilidad, que hace referencia a que no se puede prescindir de ninguno y ninguno puede disfrutarse a costa de otro, el análisis de la defensa del derecho a la vivienda cobra una dimensión mucho mayor, una visión integral de los derechos humanos.

Para comprender en profundidad el derecho a la vivienda hemos recurrido al Pacto Internacional de Derechos Económicos, Sociales y Culturales (PIDESC) y a las diversas Observaciones Generales (OG) que ha emitido con la finalidad de servir de orientación especializada a los Estados sobre las obligaciones contraídas en dicho pacto.

Concretamente, hemos prestado atención a dos de estas orientaciones para determinar en qué se traduce el **derecho a una vivienda adecuada** (OG n.º 4) y la **prohibición de desalojos forzosos** como uno de los elementos integrantes de dicho derecho (OG n.º 7). Veámoslo.

¿Qué es una vivienda adecuada?

La OG n.º 4 concluye que para que una vivienda se considere adecuada, en cualquier contexto determinado, debe reunir como mínimo los siguientes aspectos:

a) *La seguridad de la tenencia: un régimen de tenencia que les garantice protección jurídica contra el desalojo forzoso, el hostigamiento y otras amenazas.*

b) *Disponibilidad de servicios, materiales, instalaciones e infraestructura: la vivienda no es adecuada si sus ocupantes no tienen agua potable, instalaciones sanitarias adecuadas, energía para la cocción, la calefacción y el alumbrado, y conservación de alimentos o eliminación de residuos.*

c) *Gastos soportables: la vivienda no es adecuada si su coste impide o dificulta el disfrute de otros derechos humanos como son las necesidades básicas. Los Estados deberían adoptar medidas para garantizar que el porcentaje de los gastos de vivienda sean, en general, conmensurados con los niveles de ingreso.*

d) *Habitabilidad: la vivienda no es adecuada si no garantiza seguridad física, o no proporciona espacio suficiente, así como protección contra el frío, la humedad, el calor, la lluvia, el viento u otros riesgos para la salud y peligros estructurales.*

e) *Asequibilidad: la vivienda adecuada debe ser asequible a los que tengan derecho. Debe concederse a los grupos en situación de desventaja un acceso pleno y sostenible a los recursos adecuados para conseguir una vivienda. Debería garantizarse cierto grado de consideración prioritaria en la esfera de la vivienda a los grupos desfavorecidos como las personas de edad, los niños, los incapacitados físicos, los enfermos terminales, los individuos*

VIH positivos, las personas con problemas médicos persistentes, los enfermos mentales, las víctimas de desastres naturales, las personas que viven en zonas en que suelen producirse desastres, y otros grupos de personas.

f) **Accesibilidad:** *la vivienda no es adecuada si no se toman en consideración las necesidades específicas de personas con vulnerabilidad física.*

g) **Lugar:** *la vivienda no es adecuada si no ofrece acceso a oportunidades de empleo, servicios de salud, escuelas, guarderías y otros servicios e instalaciones sociales, o si está ubicada en zonas contaminadas o peligrosas.*

h) **Adecuación cultural:** *la vivienda no es adecuada si no toma en cuenta y respeta la expresión de la identidad cultural.*

Foto: Álvaro Minguito.

Al leer estos requisitos inmediatamente surgen pensamientos del tipo "por supuesto, es lo mínimo para una vida digna", pero, sin embargo, tanto las viviendas recuperadas como las de realojo distan mucho de cumplirlos. Es frecuente que las viviendas adjudicadas a entidades financieras o grandes tenedores entren en el círculo vicioso de desalojos y ocupaciones, produciéndose una situación de manifiesta inhabitabilidad.

Sin considerar menos importantes las condiciones de falta de suministros, mal acondicionamiento, inseguridad, escasez de mobiliario, etc., vamos a centrarnos en la "seguridad en la tenencia" por su esencial relevancia.

¿Qué es la seguridad en la tenencia?

Seguramente sea la primera pregunta que se os vino a la cabeza al comienzo del punto anterior y lo cierto es que se trata de un término complejo y determinante para la adecuación de una vivienda.

> "Por seguridad de la tenencia se entiende un conjunto de relaciones con respecto a la vivienda y a la tierra, establecido en el derecho codificado o consuetudinario, o mediante acuerdos no oficiales o híbridos, que permite vivir en el propio hogar en condiciones de seguridad, paz y dignidad. La seguridad de la tenencia es parte integrante del derecho a una vivienda adecuada y un componente necesario para el ejercicio de muchos otros derechos civiles, culturales, económicos, políticos y sociales. Todas las personas deberían gozar de un grado de seguridad de la tenencia que garantice una protección jurídica contra el desalojo forzoso, el hostigamiento y otras amenazas".[96]

Con esta definición arranca el Informe de la relatora especial

96. Informe de la relatora especial sobre una vivienda adecuada como elemento integrante del derecho a un nivel de vida adecuado y sobre el derecho de no discriminación a este respecto, Raquel Rolnik, 2013, Doc A/ HRC/ 25/54.

sobre una vivienda adecuada presentado en marzo de 2014 y cuyo objeto es proporcionar una serie de principios rectores que ayuden a los Estados y otros actores pertinentes a abordar la inseguridad en la tenencia.

En palabras más sencillas, podemos decir que cuenta con seguridad en la tenencia quien vive en condiciones de seguridad, paz y dignidad y, además, está protegido legalmente contra un desahucio.

La seguridad en la tenencia abarca diversas formas (derechos de posesión, derechos de uso, alquiler, plena propiedad, tenencia colectiva y cooperativas, entre otros) y choca con la generalizada confusión entre derecho de uso de la vivienda y derecho a la propiedad de la misma, lo que apoya el temor de que la colisión entre ambos acabe perjudicándonos. Es decir, resulta comúnmente aceptado que el propietario de un piso esté protegido por la ley ante amenazas de perder su hogar, pero en caso de carecer de título de propiedad o contrato de alquiler, generalmente cuesta defender que una familia tenga derecho a algo.

Esta es una de las principales luchas pendientes para quienes, de manera activa, defienden el derecho a la vivienda.

Las familias ocupantes de la viviendas no están "robando" la casa a nadie, sino "autotutelando" su derecho a un techo, por lo que hacen efectivo su derecho a uso.

Asimismo, la relatora manifestó que dichos principios rectores se fundamentan en la presunción de que las personas que ocupan la tierra u otros bienes para hacer valer su derecho a una vivienda adecuada, y que no tienen otras opciones adecuadas, tienen **derechos legítimos** de tenencia que deberían ser garantizados y protegidos.

En esta línea, las directrices aportadas por Naciones Unidas apuntan la necesidad de evaluar las categorías de tenencia existentes y el nivel de seguridad de cada una de ellas, y lo cierto es que, siendo una realidad constatable que muchas familias han tenido que hacer efectivo su derecho de tenencia a través de la recuperación de una vivienda que se encontraba en desuso, resulta alarmante que tras años de crisis y de denuncia por parte de la sociedad civil, no se haya evaluado convenientemente.

En este sentido, los movimientos sociales denuncian incansablemente la inseguridad en la tenencia de la vivienda de quienes se han visto en la necesidad de recuperar un piso vacío y su derecho a una vivienda digna y estable, apelando a la responsabilidad de nuestros gobernantes de cumplir con su obligación de garantizarla, **sea cual fuere su fórmula de tenencia.**

Además de la precariedad de estas viviendas que apenas cumplen los criterios detallados más arriba, una vivienda ocupada en ningún caso puede considerarse un hogar "adecuado" debido principalmente a la desprotección ante un desalojo forzoso. Ahondemos en este concepto.

¿Qué es un desalojo forzoso?

"El hecho de hacer salir a personas, familias y/o comunidades de los hogares y/o las tierras que ocupan, de forma permanente o provisional, sin proporcionarles medios apropiados de protección legal o de otra índole ni acceso a esos medios".[97]

97. Comité de Derechos Económicos, Sociales y Culturales, observación ge-

Independientemente de su causa, los desalojos forzosos pueden considerarse una violación grave de los derechos humanos y una vulneración a primera vista del derecho a una vivienda adecuada y, por tanto, del derecho internacional de los Derechos Humanos según las resoluciones 1993/77 y 2004/28 de la Comisión de Derechos Humanos de las Naciones Unidas. Consecuentemente, requiere que los gobiernos estudien todas las alternativas posibles antes de proceder a un desalojo para evitar, o al menos minimizar, la necesidad de recurrir a la fuerza.

Sin embargo, nuestra sociedad está tolerando diariamente la ejecución de desalojos debido en parte a ciertas creencias que además sirven de apoyo a la pasividad de nuestros gobernantes. Es frecuente escuchar, cuando sale a debate el tema de los desalojos de casas okupadas, comentarios como "habrá que tomar las medidas necesarias para desocupar los inmuebles y devolvérselos a sus dueños", "no puede permitirse la okupación porque es un delito" o "si yo pago, que ellos no vivan gratis".

Pasamos a aclarar algunas de estas confusiones, en la línea en que ya ha hecho Naciones Unidas.[98]

En primer lugar, **una resolución administrativa o judicial por sí sola no se traduce necesariamente en un desalojo legal o justificado,** pues puede estar incumpliendo las normas internacionales de derechos humanos.

En segundo lugar, **los desalojos forzosos no implican necesariamente el uso de la fuerza física,** pues existen otras maneras de

neral n.º 7 (1997), sobre el derecho a una vivienda adecuada: los desalojos forzosos.

98. *Desalojos forzosos*. Folleto informativo n.º 25 /Rev.1, 2014.

acoso e intimidación (cortes de agua, llamadas telefónicas en tono amenazante, etc.).

Foto: Álvaro Minguito.

Por último, **la protección contra el desalojo forzoso no está vinculada a los derechos de propiedad,** es decir, que puede darse en los diversos tipos de tenencia, y en todos ellos existe el derecho a su protección.

Desde la experiencia como activistas antidesahucios se conocen de primera mano la desprotección y la violencia que sufren las familias ocupantes de una vivienda y que se enfrentan a una orden de desalojo, y consideramos inaceptable esta discriminación y desprotección.

En este sentido, el Comité de Derechos Económicos, Sociales y Culturales apunta que los desalojos, para ser legales, deben llevarse a cabo de acuerdo a una legislación compatible con las normas internacionales de derechos humanos, y establece los siguientes derechos que deben respetarse:

1. *Derecho a disponer de recursos jurídicos apropiados.*

2. *Derecho a que se adopten medidas adecuadas para impedir toda forma de discriminación a que el desalojo pueda dar lugar.*

3. *Derecho a que se estudien, conjuntamente con los afectados, todas las posibilidades que permitan evitar o, cuando menos, minimizar la necesidad de recurrir a la fuerza.*

4. *Derecho a indemnización en caso de ser privados de bienes personales inmuebles.*

5. *Derecho a contar con las debidas garantías procesales, entre ellas:*

    a) Disponer de una auténtica oportunidad procesal para que se consulte a las personas afectadas.

    b) Disponer de un plazo suficiente y razonable de notificación.

    c) Facilitar a todos los interesados, en un plazo razonable, información relativa a los desalojos.

    d) Contar con la presencia de funcionarios del gobierno.

    e) Identificación exacta de todas las personas que efectúan el desalojo.

    f) Que el desalojo no se produzca cuando haga mal tiempo o de noche, salvo que las personas afectadas lo permitan expresamente.

    g) Que se les ofrezcan recursos jurídicos a las personas afectadas.

    h) Que se les ofrezca asistencia jurídica a quienes necesiten pedir reparación a los tribunales.

6. *Derecho a que se proporcione otra vivienda, reasentamiento, o ac-*

ceso a tierras productivas, según el caso, si las personas no disponen de recursos económicos suficientes.

Lo cierto es que si se evaluase, en cualquiera de la asambleas de vivienda, el cumplimiento de estos puntos en un desalojo, el resultado sería escalofriante: notificaciones insuficientes (en ocasiones el día anterior al desahucio), desalojos en plena ola de frío y unos días en un albergue separando a la unidad familiar como solución de realojo son habituales. Estas circunstancias se escuchan diariamente y se pueden corroborar de primera mano.

El incumplimiento del sexto punto referido aproporcionar otra vivienda tras la ejecución de la orden judicial es **la clave que legitima la ocupación de una vivienda**. Si se actuara con respeto a las condiciones de "desalojo legal", es decir, sin dar lugar a que haya personas que se queden sin vivienda o expuestas a violaciones de otros derechos humanos y si, en el caso de que estas no dispongan de recursos, el Estado adoptara todas las medidas necesarias, en la mayor medida en que lo permitan sus recursos, para que se proporcionara otra vivienda, la ocupación de viviendas por motivos de precariedad económica no sería necesaria.

En España es un hecho constatable que muchas familias son desalojadas por impago de hipoteca, renta de alquiler o por "ocupar sin título legal" una vivienda sin contar con alternativa habitacional, pero lamentablemente no ha existido voluntad política para evaluar y cuantificar esta realidad, y a día de hoy no hay datos estadísticos fiables sobre la dimensión del problema.

En 2007, la relatora especial sobre una vivienda adecuada presentó al Consejo de Derechos Humanos un conjunto de *Principios básicos y directrices sobre desalojos y desplazamientos generados por el desarrollo,* con objeto de ayudar a los Estados a elaborar políticas y legislaciones para evitar los desalojos forzosos en el ámbito nacional.

Dicho documento declara que son los Estados los principales responsables de la aplicación de los derechos humanos, aunque no exime a otras partes, como puedan ser instituciones, organizaciones financieras e incluso partes individuales, incluidos los caseros particulares.

El Estado español, tras el estudio que la relatora especial de Naciones Unidas realizó en España en 2006, recibió en 2008 las consiguientes recomendaciones[99] respecto a la aplicación de los mencionados principios que abarcan todas las etapas del proceso (antes, durante y después del desalojo). Entre ellas destacamos la puesta en marcha de evaluaciones de los efectos de los desalojos, la posibilidad de invocar ante los tribunales el derecho a una vivienda adecuada, consagrado en nuestra Constitución y en los correspondientes instrumentos internacionales, mediante mecanismos de denuncia accesibles a todos, y la atención con carácter urgente de la adversa situación creada por la falta de vivienda y servicios sociales para algunos sectores de la sociedad. **La reacción del Estado ha sido insuficiente.**

En caso de urgencia con riesgo extremo de violación de los derechos humanos, y una vez agotados todos los recursos procesales disponibles en España, existe la posibilidad de pedir al Tribunal Europeo de Derechos Humanos (TEDH), tribunal perteneciente al Consejo de Europa y cuyas decisiones vinculan a España, la adopción de medidas cautelares urgentes. Estas medidas, aunque

99. Kothari, 2008. (Kothari, 2008)

no deciden sobre el fondo del asunto, sí ordenan una protección temporal hasta que termine el proceso.[100]

En tres ocasiones se han adoptado este tipo de medidas en materia de vivienda en el Estado español:

En diciembre de 2012, en el caso de una vivienda ocupada en Vallecas, las medidas cautelares evitaron el desalojo. Habiendo agotado el abogado de oficio todos los recursos de instancias internas, logró llegar al TEDH antes del desalojo, adoptándose medidas cautelares que evitaron el mismo. Sin embargo, posteriormente el TEDH ha inadmitido la demanda por considerar no agotadas las vías internas una vez que el asunto está siendo estudiado por el Tribunal Constitucional.

En enero de 2013, en el caso del derribo de una vivienda en la Cañada Real Galiana, agotadas todas las instancias internas, el abogado de la familia –nuestro compañero Javier Rubio– recurrió al TEDH, logrando unas medidas cautelares que paralizaron el derribo, provocando a su vez la decisión municipal de suspender los derribos en general en la Cañada Real Galiana.

En tercer y último lugar, en octubre de 2013, se cuenta con la experiencia del Bloque de Salt. En este caso se trata de un bloque de viviendas vacías propiedad de una entidad financiera ocupado por un colectivo de personas sin alojamiento y como parte de la campaña Obra Social de la Plataforma de Afectados por la Hipoteca de Girona. Ante la orden de desalojo ordenada por un órgano judicial, dentro de un procedimiento penal por usurpación de inmueble, desde la defensa del colectivo se planteó una petición esencialmente igual a las medidas cautelares de la Cañada Real.

100. Este proceso se regula en el artículo 39 del Reglamento del Tribunal.101.

Lamentablemente, el TEDH solo suspendió el desalojo durante poco tiempo, levantando las medidas cautelares ante el ofrecimiento de alojamiento por parte de la Generalitat de Catalunya para algunas familias.

En febrero de 2014, en el caso de la Corrala Utopía, un bloque de viviendas en Sevilla también ocupado por un colectivo de personas en situación de emergencia habitacional, ante la orden de desalojo derivada del proceso penal por usurpación, se recurrió al TEDH, utilizando también el modelo de Cañada Real, pero en este caso no ha habido medidas cautelares al estimar el tribunal que las garantías ofrecidas por el Gobierno y el Ayuntamiento de Sevilla eran suficientes.

Como comenta Javier Rubio, abogado del Centro de Asesoría y Estudios Sociales (CAES), integrante de la comisión jurídica de la Coordinadora de Vivienda de Madrid, colaborador en asambleas y talleres colectivos, el frente judicial es muy útil porque condiciona al frente extrajudicial, pero resulta insuficiente por sí solo, dándose a menudo mejores resultados con la combinación de ambos (como ejemplo, la Corrala Utopía, que finalmente consiguió realojar a sus habitantes a pesar de no obtener medidas cautelares).

Vulnerabilidad de las personas que ocupan

Siendo la vivienda y el entorno ambiental unos de los principales factores relacionados con la vulnerabilidad social, este apartado ahonda en la fragilidad de la situación de quienes ocupan, su potencialidad de sufrir daños, y sus dificultades para hacerles frente o reponerse de ellos.

Frecuentemente, una vivienda inadecuada es consecuencia de la precariedad, pero, además, en un mecanismo de retroalimentación, es la causa de que aumente aún más la vulnerabilidad social de sus habitantes.

● La salud

La Organización Mundial de la Salud define la vulnerabilidad de la salud como aquellas diferencias en materia de salud que son innecesarias, evitables e injustas, contemplando su dimensión moral y ética. Y es que la distribución de la salud y la enfermedad en la población viene determinada por ciertos factores sociales, como la riqueza, la educación, la ocupación, el grupo racial/étnico, así como el lugar de residencia y sus condiciones de habitabilidad.[101]

Asimismo, la OMS define la salud no como la ausencia de enfermedad, sino como el estado de bienestar en las esferas física, psíquica y social. La vivencia de amenaza ante la pérdida de la vivienda tiene un impacto notable sobre cada una de las tres esferas de la salud.

La vivienda ha sido reconocida como un **elemento determinante de la desigualdad en la salud**,[102] de tal manera que las familias con nivel socioeconómico más bajo tienen mayor probabilidad de vivir en peores condiciones, y por tanto de tener peor salud. En este sentido se observan diferencias de resultados en tratamientos sanitarios entre distintos grupos socioeconómicos. Por ejem-

Pedro A. Palomino, Mª Luisa Grande y Manuel Linares, 2014.
102. Ana M. Novoa, Jordi Boschc, Fernando Díazd, Davide Malmusia, Mercè Darnelld, Carme Trillad, 2014.

plo, la recuperación postoperatoria es más lenta o un tratamiento farmacológico de una enfermedad crónica es menos eficaz en personas con malas condiciones de vivienda.[103]

> "Las condiciones y requisitos para la salud son: la paz, la educación, la vivienda, la alimentación, la renta, un ecosistema estable, la justicia social y la equidad. Cualquier mejora de la salud ha de basarse necesariamente en estos prerrequisitos".[104]

El impacto en la salud mental de las personas vulnerables en contextos de crisis económica ha sido objeto de estudio y hay un amplio consenso en la afirmación de que la salud mental se ve negativamente afectada en los periodos de recesión económica. El estudio IMPACT,[105] que ha comparado datos de los principales trastornos mentales atendidos en atención primaria entre los años 2006 y 2010, arroja un aumento significativo de los trastornos del estado de ánimo (19,4% en depresión mayor), de trastornos de ansiedad (8,4% en trastorno de ansiedad generalizada y 6,4% en crisis de angustia), de trastornos somatomorfos (7,2%) y de abuso de alcohol (4,6% en dependencia de alcohol y 2,4% en abuso de alcohol). Dicho estudio concluyó que la dificultad de hacer frente a la hipoteca supone un factor de riesgo adicional

---

103. Margaret Whitehead, Göran Dahlgren, 2006.
104. *Carta de Ottawa para la promoción de la salud*, 1986. La I Conferencia Internacional sobre la Promoción de la Salud, reunida en Ottawa el día 21 de noviembre de 1986, emitió una carta dirigida a la consecución del objetivo "Salud para todos en el año 2000".
105. Margalida Gili, Javier García Campayo y Miquel Roca, 2014.

(11%) a la situación de desempleo en las probabilidades de padecer un trastorno depresivo.

Sobre esta cuestión, se cuenta con la colaboración de los profesionales de Psicólogos Sin Fronteras, fundación que da apoyo a las asambleas de vivienda y que se rige por principios afines. Empiezan por aclarar que la vivienda está ligada a nuestra identidad, a nuestra configuración de lo más profundo; por lo tanto, perder la vivienda sin haber elegido el cambio supone un fuerte impacto. En todo caso se daría siempre un duelo para cerrar una etapa antes de abrir otra, pero si, además, el cambio es a peor y no es deseado (pérdida de la vivienda), los riesgos en la salud mental serán varios.

La concepción de hoy de la salud mental es biopsicosocial y podrían analizarse las repercusiones en estas tres dimensiones. En cuanto al ámbito biológico, se suelen arrastrar problemas de mala alimentación, nada equilibrada y con faltas de alimentos básicos. En muchas ocasiones existen conductas de abandono del cuidado personal y de las actividades que siempre habían resultado gratificantes.

En cuanto al aspecto psicológico, además del duelo, se pueden producir diferentes emociones, como la negación del problema (hasta que ya no hay casi remedio), la ira o rabia (echando la culpa a otros), la culpabilidad ("algo hice para merecer esto"), la depresión (bajar los brazos y dejarse llevar sin seguir adelante).

En su trabajo con personas afectadas por la pérdida de vivienda, los profesionales de Psicólogos Sin Fronteras apuntan el problema que denominan *"solving"*, en el que las grandes seguridades se pierden y uno se pregunta: "¿Por qué me pasó esto a mí? ¿Qué hice yo para merecerlo? ¿Es el mundo justo?". Estos problemas se deben abordar con tiempo y con acompañamiento, tiempo que a veces no se tiene por la exigencia de los momentos de crisis.

Desde el punto de vista social, la vergüenza, la culpabilidad, el sentimiento de que uno es el único responsable de lo que le ocurrió empuja a las personas a romper con otros, entrando en una espiral de aislamiento sumamente peligrosa y a la que habría que responder inmediatamente. En nuestra experiencia observamos con frecuencia la tendencia por parte de algunas personas al aislamiento social y a desarrollar problemas de comunicación en el seno de la pareja y la familia.

En las asambleas de vivienda, se presta especial atención a este aspecto cuando se incorpora una persona que vive en circunstancias de especial vulnerabilidad. En estos casos, resulta un factor clave el apoyo que pueda recibir de su entorno, porque muchas veces la soledad es total. En este sentido, el papel de la asamblea es fundamental porque les permite recuperar el sentido de lo que ocurre, aprender de otros y sentirse apoyados. En un entorno amable y libre de estigmas, las personas pueden ir recuperando confianza y seguridad en sí mismas.

• La infancia

En lo que respecta a los niños, Psicólogos Sin Fronteras afirma que es un tema controvertido. A pesar de su gran capacidad para superar circunstancias traumáticas, es necesario un acompañamiento adecuado; por ejemplo, no resulta eficaz endulzar la situación o engañarles, hay que trabajar con ellos para que expresen sus emociones y las canalicen. Si esto ocurre adecuadamente y tienen los recursos básicos cubiertos, el impacto incluso podría ser positivo (crecimiento post-trauma). Lamentablemente, estas circunstancias no se dan siempre y muchas veces tras el desalojo las condiciones objetivas están gravemente deterioradas; entonces el menor sufrirá.

Como se mencionaba en el anterior capítulo, el equipo de investigación sobre las consecuencias y problemas en menores de edad conformado por miembros de PAH Madrid, Enclave y Qiteria ha desarrollado un estudio cuantitativo y cualitativo desde un enfoque de derechos, a través de entrevistas en profundidad, talleres con niños, niñas y adolescentes y cuestionarios a las familias seleccionadas, así como una valoración jurídica sobre el grado de vulneración de los derechos de la infancia.

Según las conclusiones de este trabajo, el 82% de las familias que acuden a la PAH tienen hijos menores de edad a su cargo. El primer problema con el que nos encontramos es la falta de datos oficiales en lo que a niños, niñas y adolescentes desahuciados se refiere, a pesar de que son sujetos de derecho; no existen, son los grandes invisibles, en un claro incumplimiento de los artículos 44.1 y 44.2 de la Convención de los Derechos del Niño (CDN) de 1989, que el Estado español firmó y ratificó.

Desde el punto de vista jurídico, queda de manifiesto que se están vulnerando los derechos del niño a través del incumplimiento sistemático de la legislación vigente tanto internacional como nacional. Se presenta un resumen:

La Convención de Derechos del Niño de 1989 (CDN), que constituye el instrumento de derechos humanos más importante en la materia, reconoce el derecho de todo niño a un nivel de vida adecuado para su desarrollo físico, mental, espiritual, moral y social (art. 27.3), el derecho a ser cuidado por su familia y a preservar sus relaciones familiares (art. 7.1

y 8.1), el derecho a ser protegido sin distinción (art. 2 y 23) o el derecho a que se preserve su interés superior (art. 3), entre otros.

La Constitución Española de 1978, en su artículo 39.4, establece: "Los niños gozarán de la protección prevista en los acuerdos internacionales que velan por sus derechos".

La Ley Orgánica de Protección Jurídica del Menor, en su artículos 11.2 y 9.1, determina la prevención de todas aquellas situaciones que puedan perjudicar su desarrollo familiar, y que los Estados parte velarán por que el niño no sea separado de sus padres, respectivamente. El Comité de Derechos del Niño (CRC) establece en su Observación General n.º 13 el derecho del niño a no ser objeto de ninguna forma de violencia, y en la Observación General n.º 16 que el interés superior del niño debe ser una consideración primordial en toda medida adoptada por cualquier persona o institución, incluidas las empresas privadas.

El acto jurídico está viciado de nulidad si no se evalúa y determina el interés superior del niño en relación con la vivienda, que es un derecho fundamental sin el cual el resto de derechos, como la educación o la salud, se ven altamente perjudicados.

Poniendo el foco en los casos de familias realojadas en viviendas recuperadas, respecto de la incidencia del factor de "ilegalidad" de su situación, las personas atendidas suelen referirse a su situación como de ocupación o recuperación de vivienda. Con ello tratan de justificarse o reducir la disonancia o conflicto cognitivo que les genera la contradicción entre la educación y socialización recibida para "hacer lo correcto" y "cumplir la legalidad" y la necesidad que obliga. Un dilema moral difícil de abordar.

Uno de los principales miedos de estas familias es la posibilidad de perder la custodia de sus hijos. La consecuencia principal y más frecuente es mentir, no acercarse a las instituciones y en particular a los Servicios Sociales, lo que provoca el empeoramiento de las situaciones, pues les impide el acceso a las ayudas y el apoyo que merecerían y necesitan.

Esta es una de las labores que las plataformas y grupos de vivienda llevamos a cabo, romper la barrera del miedo y que las familias den el paso de manifestar en Servicios Sociales su situación de riesgo y regularizar su empadronamiento. Nuestra experiencia en este sentido es dispar, pues en cada barrio y pueblo de Madrid la atención es diferente. En todo caso, la actuación de los trabajadores de dichos servicios ponen de manifiesto los pocos recursos y formación en la materia.

El balance de la atención de la sanidad pública en materia de salud mental de los afectados por desalojos es negativo, en general con malos diagnósticos basados en medicación para bloquear los síntomas, siempre que tengan acceso a la compra de medicamentos (algo que no siempre ocurre), y atendidos por el médico de atención primaria debido al colapso de los servicios especializados en salud mental.

Desde la Coordinadora de Vivienda de Madrid se defiende el papel tanto de los Servicios Sociales como de los profesionales de la medicina, que necesariamente hay que reforzar. Coincidimos con Psicólogos Sin Fronteras en que sería interesante la idea de que un profesional certificara el impacto en la salud de su paciente de cara a que se tuviera en cuenta ante un desalojo sin alternativa habitacional, así como la propuesta de peritar el daño psicológico causado para pedir compensación por ello. Además, el equipo de psicólogos apunta la propuesta de establecer evaluaciones de situación que determinen la gravedad, siempre desde el punto de vista preventivo, acompañando y evaluando previamente la capacidad de resistir e incluso crecer.

Responsables

Muchas son las circunstancias que confluyen cuando una familia se queda en la calle, pero en todos los casos hay un componente estructural que subyace y que tiene origen en aquellas decisiones de los gobiernos que son incompatibles con los derechos humanos.

Foto: Alberto Astudillo.

Se han publicado en España excelentes informes que han recogido la larga lista de compromisos jurídicos del Estado español respecto al derecho a una vivienda adecuada y la prohibición de desalojos forzosos, así como el reparto de competencias a nivel estatal, autonómico y local. No se presentarán de nuevo, aunque sí se proporcionarán referencias en la bibliografía para quienes deseen ahondar en el tema.

Si bien es cierto que en los últimos años el Gobierno central ha emprendido algunas medidas dirigidas a paliar las consecuencias de la crisis en materia de vivienda, su aplicación ha tenido escasos resultados. Las asambleas de viviendas de todo Madrid están repletas de casos que no pueden beneficiarse de ellas. Las medidas 'estrella' que el Gobierno del PP anunció como solución a los desahucios fueron el Código de Buenas Prácticas, de adhesión voluntaria para entidades financieras (Real Decreto-ley 6/2012, de 9 de marzo) y de aplicación conforme a un estrechísimo umbral de exclusión, la conocida como "Ley de la Moratoria" (Ley 1/2013, de 14 de mayo), que ha permitido la suspensión de los lanzamientos para aquellos deudores especialmente vulnerables, y la "Ley de Segunda Oportunidad" (Real Decreto-ley 1/2015, de 27 de febrero), con escueta capacidad de ayuda real; todas ellas dirigidas a quienes se vean en una situación de riesgo de ejecución hipotecaria, dejando en el olvido a quienes viven bajo la fórmula de alquiler o a quienes, a pesar de las políticas emprendidas, han sido ya desalojados.

No siendo al parecer suficiente la aplastante evidencia de que la burbuja inmobiliaria y la crisis hipotecaria han dejado en situación de extrema vulnerabilidad a miles de familias, también la relatora especial sobre una vivienda adecuada, en su informe de

2012, hizo una evaluación del paradigma imperante de las políticas centradas en la financiación como principal medio para fomentar la vivienda en régimen de propiedad, concluyendo que "la plena realización del derecho a una vivienda adecuada, sin discriminación, no puede promoverse exclusivamente por mecanismos financieros, sino que requiere políticas e intervenciones del Estado en materia de vivienda más amplias y holísticas".[106]

En este brevísimo repaso a las acciones políticas en la materia, debemos apuntar que el 6 de noviembre de 2015 se aprobó por el Consejo de Ministros la *Estrategia nacional integral para personas sin hogar 2015-2020* como instrumento para dar soluciones concretas a las personas sin alojamiento y sin techo, pero nuevamente deja al margen a quienes se encuentran en situación de habitar viviendas inadecuadas o inseguras según la agrupación general de la tipología ETHOS (Tipología Europea de Sin Hogar y Exclusión Residencial).

Pero no solo nos escandaliza y denunciamos la ausencia de políticas adecuadas en un contexto de emergencia en materia de vivienda, sino también la adopción de medidas regresivas en relación a los derechos humanos. Amnistía Internacional, en su informe sobre el derecho a la vivienda y los desalojos hipotecarios en España,[107] apunta al menos cinco señales de alarma en Madrid y Barcelona, tales como recortes en gasto público, infrautilización de recursos públicos, reducción del periodo de calificación de las viviendas sociales y el desmantelamiento del parque de vivienda

106. Rolnik, Informe de la relatora especial sobre una vivienda adecuada como elemento integrante del derecho a un nivel de vida adecuado, 2012.
107. Amnistía Internacional, 2015.

pública mediante su venta a sociedades de inversión. En esta línea política cabe destacar el sistemático ataque a cualquier avance en materia de vivienda. Así, quedó bloqueada en el Congreso la Iniciativa Legislativa Popular promovida por la PAH en 2013 y han quedado en suspensión cautelar las leyes aprobadas por los parlamentos de Andalucía, Navarra, Canarias, Euskadi, Cataluña y, recientemente, la de Aragón, al ser llevadas por el Ejecutivo al Tribunal Constitucional con argumentos en defensa del derecho a la propiedad privada y referentes al régimen sancionador, como pudieran ser las sanciones impuestas sobre viviendas vacías.

Desde la Coordinadora de Vivienda de Madrid se ha elaborado una Iniciativa Legislativa Popular a fin de conseguir que se apruebe una Ley de Vivienda que garantice el derecho subjetivo a la vivienda digna en la Comunidad de Madrid.

En todo caso, y más allá de la voluntad política de quienes gobiernen, se ha de insistir en que cualquier medida debe partir de un correcto diagnóstico que aún está por hacer. A pesar de la dificultad que entraña concretar la dimensión y alcance de la problemática de acceso a la vivienda, sería imperdonable permitir que los gobernantes se excusen en tal dificultad para atender únicamente aquellas realidades de fácil diagnóstico y de forma insuficiente o ineficaz.

En la actualidad se cuenta con los datos publicados por el Consejo General del Poder Judicial (CGPJ) basados en los procesos judiciales, los datos del Registro de la Propiedad que recoge el Instituto Nacional de Estadística (INE) y la información facilitada por las entidades financieras al Banco de España, pero nada respecto a quienes sufren un desalojo y bajo qué circunstancias. El Defensor del Pueblo, partiendo de datos proporcionados por las consejerías y organismos responsables de vivienda de las comunidades autónomas y municipios de más de 350.000 habitantes, publicó en 2013 un *Estudio sobre viviendas protegidas vacías*[108] con recomendaciones a las administraciones para acabar con el desajuste entre la necesidad de vivienda y el número de viviendas protegidas vacías en un momento en el que se contaban 332.529 personas inscritas como demandantes de vivienda protegida. Entre las conclusiones de este informe cabe destacar la conveniencia de contar con un Registro General de Vivienda Vacía que permita la evaluación con carácter nacional, y que dicho parque sea puesto en alquiler.

La realidad es que la falta de medios adecuados de registro de viviendas, desalojos y de su impacto sobre quienes lo sufren impide el correcto diagnóstico de la situación y el diseño de planes de acción adecuados. Pero además arroja una imagen distorsionada a quienes no conocen la problemática de manera cercana y directa. Nos preocupan profundamente las posibles consecuencias en el imaginario colectivo de creer que el problema es menor, que las medidas implementadas son suficientes para hacerle frente, que quienes okupan de manera ilegal deben ser castigados por estar 'voluntariamente' fuera del sistema y, desde luego, que no son exigibles políticas al respecto.

En cualquier caso, la consecuencia directa y sangrante es que sin diagnóstico no hay problema y sin problema no es necesario emprender medida alguna.

108. Defensor del Pueblo, 2013.

Participación de la ciudadanía

Consideramos que tanto en la elaboración del diagnóstico como en el diseño de soluciones integrales de urbanismo y vivienda es imprescindible la participación de todos los actores involucrados y, por tanto, también de la sociedad civil organizada en asociaciones y plataformas por su experiencia acumulada a pie de calle.

La conveniencia de atender nuestras consideraciones ya vino reflejada en el informe de 2008 del relator especial de Naciones Unidas, Miloon Kothari, en su misión a España. En él apuntaba entre sus recomendaciones que "todos los sectores de la sociedad, incluidos los promotores inmobiliarios, los constructores, las agencias inmobiliarias, los grupos de la sociedad civil y otros agentes de los sectores público y privado deben participar en la realización de este derecho humano básico", y, sin embargo, la dificultad de hacernos escuchar sigue siendo nuestro primer y principal obstáculo.

Foto: Luis Hidalgo.

Obra Social: el autotutelaje del derecho a la vivienda

Fotos: Miguel Ángel Lirio.

A pesar de tanta hostilidad, la lucha por una vivienda digna para todos va dejando sus frutos y no es una utopía pensar que una familia desalojada consiga un hogar estable gracias al apoyo ciudadano. Muchas de ellas no hubieran conseguido cerrar un acuerdo con el propietario de su piso de no ser por la colaboración de su asamblea, y muchas, de hecho, acumulan varias causas por usurpación por no haberlo conseguido aún.

Encontramos ejemplos de lucha colectiva en la campaña **Obra Social de la PAH**, cuyo nombre hace un guiño irónico a la Obra Social de las cajas de ahorros, y que persigue la reapropiación ciudadana de aquellas viviendas vacías en manos de entidades financieras fruto de ejecuciones hipotecarias, de manera que, en los casos en que no sea posible salvar el hogar de un desalojo, la PAH dará apoyo y cobertura a las familias para que no se queden en la calle.

Esta campaña, emprendida por diversas PAH y Asambleas 15M de España, cumple con un objetivo **triple:**

1. Recuperar la función social de una vivienda vacía para garantizar que la familia no quede en la calle.
2. Agudizar la presión sobre las entidades financieras para que acepten la dación en pago y el alquiler social.
3. Forzar a las administraciones públicas a que adopten de una vez por todas las medidas necesarias para garantizar el derecho a una vivienda.

Bajo esta fórmula, en Madrid se han recuperado los bloques de viviendas bautizados por sus habitantes como La Manuela, Argente, La Dignidad, LLerena, Callejo, Monte Perdido, Las Leonas, La Cava y Cadete, de los cuales los dos primeros fueron abandonados tras cerrar acuerdos de realojo con los propietarios y La Cava desalojada por orden judicial, manteniéndose el resto habitados a día de hoy.

También se ha proporcionado un techo dentro de la campaña Obra Social a decenas de familias recuperando viviendas individuales, todas ellas abandonadas y propiedad de la SAREB, entidades financieras y grandes tenedores.

Igualmente se defienden dentro de las asambleas de vivienda los derechos de familias que llegan a nuestros colectivos habiendo ocupado previamente. Son acompañadas en todo el proceso legal que conlleva y también en las negociaciones con la propiedad. Podemos decir que hemos pactado alquileres sociales para muchas de ellas, forzando a las entidades financieras a escuchar sus situaciones personales y familiares.

Una vacuna contra la adversidad

Obviamente, la vivencia de amenaza de pérdida de la vivienda no

Foto: Luis Hidalgo.

Foto: Asamblea Vivienda Latina.

es experimentada por todas las personas por igual, de modo que es importante atender a las diferencias individuales a la hora de afrontar situaciones caracterizadas por la adversidad y la incertidumbre, por lo que las PAH y asambleas de vivienda, desde la práctica constante, vienen implementando un conjunto de acciones y estrategias colectivas que contribuyen a afrontar la situación de vulnerabilidad ante la pérdida del derecho a la vivienda.

• La resiliencia

La resiliencia es la capacidad que tiene una persona o un grupo de personas para recuperarse frente a la adversidad y seguir proyectando el futuro. En ocasiones, las circunstancias difíciles o los traumas permiten desarrollar recursos que se encontraban latentes y que el individuo desconocía hasta el momento. Se tiene constancia de casos de algunas personas con problemas graves de vivienda que sirven de ejemplo a la perfección para entender el dicho popular "se crece ante la adversidad". A diario, los colectivos en favor del derecho a la vivienda se van nutriendo de este conjunto de personas que, aun cuando su situación

no es la mejor ni la más favorable, aportan su energía y sus conocimientos para poder llevar a cabo este firme objetivo de defensa
de un derecho fundamental.

"Aunque haya perdido mi vivienda, seguiré luchando para
que exista una nueva ley que garantice este derecho de por
vida y que nuestras generaciones siguientes no vuelvan a ex-
perimentar esta agonía".

- ● **El optimismo**

En las asambleas de vivienda tenemos por principio que ser rea-
listas (no se niegan ni minimizan los problemas), pero sin olvidar
ese punto de optimismo que debe servir para continuar con la
lucha y las reivindicaciones. El optimismo es para nosotros una
vacuna que nos permite afrontar la adversidad como un reto,
como un desafío. Tenemos esperanza en la consecución de nuestros objetivos y esperamos resultados favorables, aun sabiendo lo
complicado de nuestra tarea. El optimismo es el combustible que
nos permite crear estrategias de acción y de afrontamiento de cada
uno de los obstáculos que nos vamos encontrando a lo largo del
camino. Y como tenemos expectativas optimistas, incrementamos
nuestros esfuerzos individuales y colectivos para lograr nuestros
objetivos, sin olvidar que tenemos que seguir cuidándonos en lo
individual y en lo colectivo.

- ● **El apoyo social y percibido**

Las asambleas de vivienda permiten normalizar la experiencia de
muchas personas que acuden sofocadas ante la amenaza de la pérdida de su vivienda. El grupo hace las veces de contenedor emo-

Foto: Álvaro Minguito.

cional y facilita ese apoyo social que en muchas ocasiones permite a las personas y familias afrontar su situación de un modo más eficaz y saludable. Se cuenta con un conjunto de organizaciones y personas independientes que participan en esta lucha para organizar sesiones de trabajo, jornadas y talleres, entre otros, para que cada miembro de la asamblea sea menos vulnerable, para que se sienta apoyado y pueda apoyar a más personas para que conozcan y defiendan sus derechos.

Hacia el alquiler social

Por si todavía queda alguna duda respecto a la naturaleza de nuestra defensa de la recuperación de viviendas, insistiremos en que las familias a las que estamos apoyando en nuestras asambleas no desean vivir de manera irregular, no es su interés prolongar esta situación ni un minuto más. Defendemos la ocupación como medida de emergencia y como estrategia política, pero no como solución final.

Empecemos por definir el "alquiler social". El precio del alquiler presenta algunos síntomas muy parecidos a los que vivió el precio de compra de la vivienda hace unos años. La burbuja está aquí de nuevo y en las grandes ciudades su precio no para de crecer. El mercado se halla, de nuevo, viciado y descompensado por los grandes fondos de inversión, que hicieron una aparición estelar en Madrid adquiriendo miles de viviendas públicas (del IVIMA y de la EMVS) y han ido adquiriendo enormes paquetes de viviendas procedentes de ejecuciones hipotecarias a entidades bancarias. Dichos fondos de inversión han creado SOCIMIS (sociedades cuyos fondos inmobiliarios deben estar dedicados al alquiler al menos en un 80%). Las SOCIMIS están exentas del pago del impuesto de sociedades y tienen una bonificación del 95% en el impuesto de transmisiones patrimoniales y actos jurídicos documentados, gracias a los cambios normativos introducidos a finales de 2012. Son el vehículo ideal para inflar los precios del mercado de alquiler y generar enormes plusvalías sin pagar impuestos.

La Coordinadora de Vivienda apuesta por una fórmula que haga posible para las familias el pago de la renta, más allá del mercado libre de alquiler. Las familias no deberían verse en la necesidad de asumir costes que pongan en riesgo su calidad de vida. Aunque lo que se considera un precio asequible depende de muchos factores y no se puede tomar como una regla inamovible, muchas instituciones coinciden en que el porcentaje de los ingresos familiares destinado a sufragar los gastos de vivienda no debe superar el 30%, haciendo hincapié en que se trata de un límite máximo y que en todo caso deberá calcularse en función de cada caso y sus circunstancias.[109] En las asambleas de vivienda y PAH de la Comunidad de Madrid reivindicamos que el alquiler nunca debe superar el 30% de los ingresos familiares, y en el caso en que estos sean inferiores al Salario Mínimo Interprofesional, no debe superar el 10%.

109. Hulchanski, 1995.

La cuestión es cómo transformar la situación irregular de quien reside en un piso sin permiso de su propietario en un alquiler social. Las opciones que tiene una familia que vive ocupando cuando su nivel de ingresos no le permite alquilar a precio de mercado ni resulta adjudicataria de una vivienda pública y social no son tantas. Siempre se llega a la misma conclusión: "Que el banco me deje pagarle un alquiler". Eso es ni más ni menos lo que pedimos, por escrito y cansinamente, a los propietarios de nuestras viviendas ocupadas.

Las familias que lo han conseguido han debido seguir el duro camino de localizar al interlocutor adecuado con el que negociar –los procesos de fusión y reestructuración de la banca lo hacen muy difícil– y llegar a un acuerdo, mientras mantenían un aplazamiento de su desalojo. Evidentemente no es sencillo y requiere insistencia; muchos han tardado varios años en conseguirlo.

A pesar de que la mayoría de las entidades financieras, en una masiva lavada de cara, se adhirieron voluntariamente al Código de Buenas Prácticas establecido en el Real Decreto-ley 6/2012, de 9 de marzo, de medidas urgentes de protección de deudores hipotecarios sin recursos, nada se dijo de quienes no cumplen los requisitos económicos y/o familiares, de quienes huyeron de la vivienda por miedo, etc. Las familias que ya perdieron su vivienda tienen derecho a solicitar una vivienda del Fondo Social de Viviendas, pero es más fácil encontrar una aguja en un pajar que una de esas viviendas en Madrid. Bankia, sin ir más lejos, afirma –a través de la empresa Gesnova, encargada de la gestión del fondo social de viviendas de Bankia– que no dispone en Madrid de una sola casa en condiciones de ser arrendada.

El Fondo Social de Viviendas propiedad de entidades de crédito, que fue constituido conforme se encomendó al Gobierno en el Real Decreto-ley 27/2012, de 15 de noviembre, solo ha realojado a 4.000 familias procedentes de ejecución hipotecaria, según su página web. Desde su formación venimos reclamando tanto que se incremente la dotación de viviendas de dicho fondo como que se flexibilice la concesión de alquileres, pero, lejos de atender la demanda social, las entidades están deshaciéndose de sus activos inmobiliarios a velocidad de vértigo. En muchas ocasiones nos vemos negociando con fondos de inversión que poco o ningún interés tienen en ceder parte de sus viviendas a fines sociales.

Una estrategia política legítima

La lucha de las asambleas de vivienda y PAHs de la Comunidad de Madrid va más allá de medidas de emergencia: son el primer paso en un nuevo camino en materia de políticas de vivienda que contemple el respeto a los derechos humanos. Para nosotras, eso significaría nada más que una reestructuración total de la economía política de la vivienda en el Estado español.

La diversidad de políticas de vivienda en el marco europeo demuestra que otras realidades no solo son posibles: ya existen. Tomamos por ejemplo las políticas en torno a la vivienda vacía. Poder mantener la vivienda vacía es un soporte clave del proceso de especulación, dado que permite que los inversores esperen hasta el momento más lucrativo para llevar a cabo una venta o un contrato de alquiler. En varios países europeos ya existen medidas para revertir este proceso.[110]

110. Burón Cuadrado, 2012.

En Holanda se reconoce la legitimidad del uso social de la vivienda abandonada: **la ocupación de viviendas vacías es legal en Holanda si llevan más de un año vacías.** El derecho de uso de la vivienda solo se le devuelve al propietario si este demuestra que la vivienda no volverá a estar vacía.

Varios países tienen regímenes de multas sobre vivienda vacía. En Dinamarca basta con que los propietarios de viviendas las mantengan desocupadas **seis semanas** para que el Consistorio los multe. En Alemania, los propietarios que tengan viviendas vacías pueden ser **obligados a la rehabilitación,** y si lo incumplen, pueden ser penalizados con una expropiación temporal y el alquiler forzoso. Como medida extrema, en aquellos municipios donde haya más del 10% de viviendas vacías, la Administración procede a demoliciones.

En Reino Unido, las medidas favorecen la mediación con los propietarios. Existe **una ONG estatal que fomenta la reducción de viviendas vacías** y media entre las autoridades y los propietarios privados. Además hay **incentivos fiscales para los propietarios que compren y rehabiliten viviendas vacías,** y también cuentan con presupuesto público dedicado a comprar viviendas vacías para ponerlas en alquiler social. En Francia existen **medidas que favorecen el alquiler de las viviendas vacías** y ayudas para que los propietarios las rehabiliten para ponerlas en alquiler. Pero estas medidas de mediación se combinan con un régimen de multas. En las grandes ciudades en las que haya escasez de alquileres se impone una tasa del 10% del valor catastral de la vivienda durante el primer año que queda vacía, y va aumentando cada año hasta un 15%. El dinero recaudado se destina a un instituto público que rehabilita vivienda. Es decir, que si no alquilas, en tres años el Gobierno te cobra casi el 40% del valor de la vivienda. Además, el Gobierno también puede requisar hasta 12 años las viviendas vacías que estén en municipios en los que haya escasez de alquileres a precios moderados, que lleven más de 18 meses vacías y cuyos propietarios no hayan puesto medios para alquilarlas. Las viviendas requisadas son gestionadas en alquiler por una entidad pública.

Ninguna de estas soluciones representa un modelo social perfecto que queremos que se replique, pero sí demuestran la variedad de medidas posibles para combatir la especulación. Además demuestra que otros países europeos entienden lo que ha negado el Estado español: que para garantizar el derecho a la vivienda hay que implementar medidas activas en contra de la especulación inmobiliaria.

Si la SAREB es nuestra, sus casas también

Tal como expusimos en el capítulo dedicado a la especulación, la Sociedad de Gestión de Activos Procedentes de la Reestructuración Bancaria (SAREB) es una entidad creada y financiada por nuestro Gobierno para ayudar al saneamiento del sector financiero español, pero además se ha convertido en la mayor inmobiliaria de Europa.

En respuesta a la creación de la SAREB, la Plataforma de Afectados por la Hipoteca lanzó su campaña "La SAREB es nuestra" para denunciar este expolio de la vivienda que debería ser de los ciudadanos. Considerando que ya lo hemos pagado los ciudadanos, las PAH y grupos de vivienda exigimos que las viviendas que gestiona SAREB **NO** se destinen a la especulación, sino a un parque de vivienda en manos de la ciudadanía, con alquileres estables y asequibles.

La misma recomendación hizo la Defensora del Pueblo en su informe de 2015. Debido a su importancia en el mercado inmobiliario, Soledad Becerril realizó la sugerencia de modificar el Convenio del Fondo Social de Viviendas (FSV), de manera que fuera posible la participación de la SAREB en el mismo aportando parte de su *stock* inmobiliario para viviendas sociales. Pero esta sugerencia fue rechazada por el Ministerio de Economía, aduciendo que la SAREB es exclusivamente un instrumento financiero, no un agente que deba intervenir en la política social de vivienda.

El propio informe analiza las razones aducidas considerando tanto el objeto social de la SAREB y su actividad ordinaria como la finalidad del FSV. Lo transcribimos literalmente:

"El objeto social de la entidad es la tenencia, gestión y administración directa o indirecta, adquisición y enajenación de los activos y, en su caso, pasivos, que le sean transmitidos por las entidades de crédito. Pero ello no es impedimento para que la sociedad desarrolle otras actividades de carácter social, además de cumplir el objeto para el que fue creada; así lo demuestran las varias actividades de responsabilidad social corporativa que lleva a cabo. Por el contrario, no se aprecia que ello vulnere su objeto social, sobre todo el de enajenar los activos cuya venta se prevé que tenga lugar a largo plazo.

Es cierto que, como afirma la SAREB, no tiene cabida su encuadramiento dentro del Fondo tal y como este se encuentra actualmente configurado. Precisamente por ello se sugirió al Ministerio de Economía y Competitividad la modificación del Convenio: para posibilitar la inclusión de la

SAREB. La sugerencia de su inclusión en el Fondo se hizo por la importancia de la SAREB en el mercado inmobiliario, en tanto que es propietaria de miles de viviendas en toda España, al mismo nivel que las entidades bancarias firmantes del Convenio.

La SAREB fue creada por el poder público, tiene una porción sustancial no mayoritaria de capital público y un órgano de seguimiento público. Todo esto le otorga una posición cualitativamente diferente de las entidades bancarias. Es el interés general el que debería orientar la actuación de la SAREB, interés que no se limita al cumplimiento estricto de su objeto social, sino que debería concretarse en actuaciones que redunden en beneficio de todos los ciudadanos".

A pesar de esta negativa, en su página web (www.sareb.es) la SAREB manifiesta que articula su estrategia de responsabilidad corporativa en torno a cinco compromisos, siendo uno de ellos el compromiso con el entorno social y el apoyo, en la medida de sus posibilidades, a la actuación de las administraciones públicas en la resolución del acuciante problema social de la vivienda en España.

Asimismo declara estar abierta a la comunicación y al diálogo con los diferentes colectivos relacionados con su actividad y que propongan un diálogo constructivo y respetuoso, para alcanzar una sintonía entre los valores empresariales y las expectativas sociales. Por si esto fuera poco, manifiesta también su compromiso con la aplicación de la Declaración Universal de los Derechos Humanos y del Pacto Mundial de las Naciones Unidas, al que se encuentra adherida formalmente.

A pesar de esta estupenda declaración de principios, tales compromisos se ven reducidos a la cesión de un total de 2.255 viviendas a comunidades autónomas y grandes ayuntamientos para fines sociales, según datos a 30 de junio de 2016.

Bajando a la arena de lo concreto, veamos el caso de Madrid capital. En enero de 2016 se hizo público un acuerdo con el Ayuntamiento de Madrid de cesión temporal de 300 viviendas para destinarlas a fines sociales. Los términos del acuerdo, que tiene una vigencia de ocho años, contemplan que la Empresa Municipal de Vivienda y Suelo (EMVS) se hará cargo de la gestión de los inmuebles cedidos, seleccionando a los beneficiarios de las viviendas en el marco de sus programas sociales. El acuerdo contempla que hasta un 50% de estas viviendas cedidas podrán estar ocupadas por familias sin título de alquiler o propiedad, en cuyo caso la EMVS se encargará de la regularización de estas situaciones.

La SAREB percibirá una contraprestación fija mensual de 75 euros en el caso de las viviendas ocupadas y de 125 euros cuando se trate de viviendas vacías. Con dicha contraprestación, SAREB hará frente a los gastos de seguros, comunidad y reparaciones extraordinarias. Por su parte, el Ayuntamiento de Madrid asumirá los gastos correspondientes a la gestión de la vivienda, así como su mantenimiento ordinario e Impuesto de Bienes Inmuebles (IBI).

Son muchas las voces que se han manifestado escandalizadas por el insignificante número de viviendas cedido en relación a la demanda de vivienda social, y en contra de que los madrileños debamos pagar con nuestros impuestos un alquiler a la SAREB, cuando estas viviendas están más que pagadas. Además, el acuerdo sigue sin concretarse por cuestiones técnicas, como el coste de adecuación de las viviendas, y por la ocupación de las mismas en el transcurso de los trámites de adjudicación.

El 16 de septiembre supimos por el periódico *Diagonal* que la Empresa Municipal de Vivienda y Suelo de Madrid (EMVS) ya ha devuelto 85 de estas 300 viviendas debido a su mal estado. Según declaraban fuentes de la EMVS a este periódico, el presupuesto del arreglo de estos pisos era "excesivamente alto" o directamente la vivienda "es completamente inadecuada por encontrarse en estado de total destrozo". Tanto estos 85 pisos como los otros 114 aún en proceso de revisión, no estaban listos para ser habitados, a pesar de que fuentes de la SAREB afirman que se entregaron en buenas condiciones y que se hace "un informe técnico con cada una de las viviendas para confirmar sus características". Lo cierto es que las viviendas no estaban en condiciones, que los presupuestos de reforma exceden los límites pactados, y que más de ocho meses después de firmarse el acuerdo las casas están todavía sin asignar.

Resistiendo a la especulación: hacia el alquiler social universal

La vivienda es demasiado importante para dejarse en manos de los especuladores. Como bien social que sostiene nuestras vidas, que sostiene nuestros barrios, pueblos y ciudades, no se puede poner en peligro. Eso ya lo hemos aprendido con el despliegue brutal del estallido de la burbuja inmobiliaria y la crisis de los desahucios. Ya sabemos parar desahucios y responder a la emergencia. Ahora, luchando por el alquiler social, estamos luchando para conseguir contratos que saquen nuestras viviendas del ciclo especulativo a largo plazo.

La concesión de contratos de alquiler social de los bancos solo se ha conseguido desde la resistencia a los desahucios y la recuperación de viviendas. En la lucha y en la negociación, nuestra única arma es la negativa a entregar las llaves. Y eso tanto por parte de los antiguos propietarios que permanecen en la vivienda después de ser subastada como parte del proceso de ejecución hipotecaria, como por parte de nuestras vecinas que han recuperado un piso vacío en un momento de especial necesidad. En la negociación con los bancos, con las mafias financieras que se han quedado con gran parte de los bienes inmobiliarios de este país, lo único que nos hace ganar terreno es el secuestro de sus activos.

Pero nuestra lucha va más allá de sacar las viviendas del ciclo especulativo como medida de emergencia. No debemos esperar hasta que lleguen nuestros momentos de emergencia para que se garanticen nuestros derechos. Un alquiler social debe ser universal, disponible para todas personas que lo soliciten.

En el camino hacia este alquiler social universal, nuestras 'vecinas okupas' componen una vanguardia. Pero hay que tener claro que nuestras aspiraciones van más allá de las soluciones caso por caso. Buscamos solucionar casos concretos como medio de reestructurar el sistema de provisión de vivienda en la Comunidad de Madrid y en el Estado español.

El alquiler social universal no es una utopía lejana. Ya se está creando en nuestros barrios, pueblos y ciudades piso por piso, bloque por bloque. Impidiendo y denunciando la especulación, autotutelando nuestro derecho a la vivienda. Nuestra desobediencia hace este futuro cada vez más cercano, lo quieran o no; no hay cerradura que lo pueda frenar.

Foto: PAH Vallekas.

Foto: Álvaro Minguito.

CONCLUSIONES

"Mientras haya en mi barrio una mesa a la que le falten las patas,
mientras haya un niño sin zapatos o una opera de sarna;
mientras haya un contable tosiendo, mientras haya un concierto de
perros, mientras haya una sola persona a la que los bancos dejen sin techo;
debemos cantar al corro y no cantar en soledad y cantar a los que solo
aúllan mientras haya un desahucio más..
Y asediar al usurero y que así no duerma en paz y gritarle al
poderoso, mientras haya un desahucio más.
Y gritarles a los poderosos mientras haya un desahucio más".

Canción de la Pah. **Nacho Vegas**

Una vez descritas las causas tanto económicas como políticas que han desembocado en esta grave crisis de acceso a la vivienda, ya sea en régimen de propiedad o de alquiler, concluimos que la recuperación de viviendas no es más que una reacción de respuesta –inevitable– de la sociedad civil.

En cuanto a las políticas de vivienda en el Estado español, se señala su evolución y cómo desde los años 40 se incentiva y apoya la propiedad privada, dejando de lado de manera progresiva el componente social y la función social de las viviendas; mediante la liberación de terrenos, la inflación/sobreprecio de las viviendas, u ofreciendo créditos de manera incontrolada y fraudulenta, constituyendo todo ello una gran burbuja inmobiliaria insostenible no solo a nivel hipotecario, sino también extendida al sector de los alquileres. Los precios del mercado del alquiler se han disparado, ocasionando la imposibilidad de muchas familias al acceso directo a una vivienda media. El impago tanto de hipotecas como de alquileres sube año tras año, y consecuentemente se inician las ejecuciones y desalojos en este mismo orden, lo que va construyendo la situación de vivienda actual: por una parte muchas familias sin vivienda y por otra parte muchas viviendas vacías.

La respuesta del Estado ha consistido en la implementación de estrategias enfocadas en activar la economía, en lugar de nivelar las carencias estructurales del sistema económico del país.

A nivel legislativo, el Gobierno se ha sacado de la manga leyes que en ningún caso han dado una respuesta contundente a esta situación de emergencia y sangría habitacional, dejando de lado a la mayoría de las personas en desamparo: solo un 1% de la población, aproximadamente, se ha beneficiado de estos reales decretos o medidas de 'segunda oportunidad', soluciones legislativas que no contemplaron de ningún modo la nueva realidad.

A nivel autonómico o local, la vulneración del derecho a techo se extiende al ámbito de las viviendas sociales, con un expolio del parque público de viviendas, que se entregan en bandeja a los fondos 'buitre', dejando en desamparo a familias que pasan a engrosar el conjunto de la población en exclusión habitacional.

La falta de planificación del sector inmobiliario ocasionó una sobreconstrucción de viviendas que continúan en gran medida vacías, a las que ahora se añaden las derivadas de los desahucios.

En definitiva, las causas económicas y políticas que han llevado a la población ante esta emergencia habitacional han sido de orden especulativo y estructural. Las administraciones no ha sido capaces de crear mecanismos de protección para las familias que atravesasen por circunstancias de vulnerabilidad.

Siendo necesaria una reacción ante la situación de desprotección por parte de las administraciones, se hace necesaria la existencia de colectivos como la PAH y asambleas de vivienda, que mediante la participación activa de todas las personas que la integran hacen posible la defensa de este derecho fundamental y que se defienda y mantenga la función social de una vivienda, función que debe prevalecer por encima de cualquier otro derecho en cuanto a vivienda se refiere.

En cuanto a la crisis laboral, esta fue la consecuencia del estallido de la burbuja, produciendo un incremento acelerado del desempleo. Por otro lado, y haciendo referencia a las reformas laborales, los empleos se han ido deteriorando en sus condiciones, hasta el punto de manejar términos como "pobreza laboral", "trabajadores pobres" o "trabajadores a la carta", donde las condiciones no ofrecen ninguna garantía de estabilidad ni de proyección hacia ella. La mayoría de las personas que conforman las familias que han recuperado una vivienda se encuentran enmarcadas en esta situación laboral: desempleadas o subempleadas.

Los menores de edad y mayores a cargo también son un factor fundamental que hay que tener en cuenta en las familias que carecen de solvencia económica, sobre la base de la precariedad laboral: los gastos de atención de personas a cargo son significativos, y en algunos casos van mucho más allá de los apoyos y ayudas que puede ofrecer el Estado. Estos gastos acentúan aún más la imposibilidad de asumir una vivienda a precio de mercado, por tanto la necesidad de recuperar una vivienda se hace más acuciante.

En cuanto a suministros, aun cuando estos se asumen como gastos de primera necesidad y están incorporados en el presupuesto básico de las familias, no todas las familias y personas están en posición de asumirlos desde la precariedad de su economía, transformándose en pobres energéticos. Esto nos lleva a concluir que dentro del concepto de vivienda digna se hace imprescindible considerar la cobertura de los suministros como bien de primera necesidad.

Las personas que deciden ocupar una vivienda se encuentran con numerosas trabas para acceder a estos servicios de primera necesidad, tanto por las administraciones como por las suministradoras de estos servicios, aun cuando haya una intención expresa de cubrir los pagos de dichos servicios. En la mayoría de las viviendas ocupadas los servicios no están regularizados. De ahí la pregunta: ¿qué hacen las administraciones para garantizar los bienes de primera necesidad como el techo, el agua, la electricidad y el gas?

Por otra parte, las personas que recuperan una vivienda no siempre tienen la garantía de encontrarla en las condiciones mínimas de habitabilidad, y observamos que el periplo previo de estas familias tampoco ha sido en viviendas con una adecuada habitabilidad. Estructuralmente, se pretende perpetuar esta situación de precariedad, empujando a la resignación de estas personas a vivir en 'infraviviendas'.

Según se desprende de la investigación, hay un gran porcentaje de las familias que afirman que viven en una vivienda ocupada por necesidad. Aquí también sale a la luz otra reflexión: ¿necesidad de qué? Necesidad de vivir en una vivienda digna, de contar con un espacio privado donde proyectar una vida, de disfrutar de una estabilidad emocional, física y mental; en definitiva, de ejercer un derecho.

La población, desde sus experiencias y ante una situación de emergencia habitacional, ha agudizado la perspicacia, tanto individual como colectiva, construyendo estrategias de supervivencia que le han permitido mantenerse en pie durante el ciclón; mantenerse, crecer en colectivo y seguir adelante. De otra forma no hubiese sido posible.

En definitiva, la recuperación de una vivienda es un modelo de autotutelaje. Y también es una experiencia de vida que produce un enorme impacto integral, en la historia de vida, en áreas de la personalidad y de la identidad. En la mayoría de los casos, hay una experiencia previa brutal como lo es un desahucio. La recuperación de una vivienda tiene una doble connotación en la vida; por un lado es el final de un largo proceso de agonía y de declive de una familia o de una persona; por el otro, el inicio de un nuevo proceso de reacomodación o reajuste; es decir, asumir las nuevas emociones, sensaciones y expectativas. No sin contar con los factores externos que de una u otra forma inciden directamente.

Puede considerarse un evento vital homologable a la experiencia de una gran catástrofe en cuanto al nivel de estrés, por lo que en muchas ocasiones es necesario intervenir en consecuencia. El miedo, la vergüenza, la incertidumbre, la baja autoestima y las depresiones se apoderan de la razón, pudiendo llevar a decisiones equivocadas. Por otro lado, las interminables gestiones administrativas para el reconocimiento y regularización de estas situaciones mediante un alquiler social, así como las judiciales, frecuentemente abruman y generan frustración. Además, el vecindario encuentra dificultades para comprender las razones por las cuales las familias optaron por ocupar, condicionando negativamente la convivencia y la creación de relaciones interpersonales. Por último, no podemos olvidar que sobre este contexto sobrevuelan amenazas de diversos intereses que confluyen en la vivienda, que se materializan en visitas policiales, procesos judiciales y acoso de negocio subterráneo sobre viviendas vacías.

El impacto en la salud en personas adultas, mayores, infantes y jóvenes es proporcional a las dificultades con las que se encuentran en este proceso. Desde el punto de vista físico y mental, la salud se resiente, se perciben y detectan una serie de conductas que, aunque pudieran resultar incomprensibles, son en realidad el equivalente a un estado de shock de la psique y, en consecuencia, del cuerpo. El estigma social es acusado, llegando a veces a ser extremo y hasta violento; además, en los centros educativos, espacios sociales y en las administraciones mismas se etiqueta permanentemente a quienes ocupan. La vida personal y social vive bajo la constante amenaza de un nuevo desalojo, tiñéndolo todo.

Mencionando el papel de los medios de comunicación, en el presente informe se ha demostrado detalladamente, en diversos contextos y con distintos protagonistas, cómo la información también produce un impacto en el imaginario colectivo. La mayoría de las veces, el acento no se produce en positivo. Todo lo contrario, el discurso y enfoque que se implementa para contar la historia de una vivienda recuperada o familia que recupera una vivienda se enfoca desde la criminalización. Se hace hincapié en los factores menos favorecedores, asociando un conjunto de conceptos que distan de los de "derecho" y "vivienda digna", respondiendo a objetivos que, pese a no ser aceptados por la sociedad, se asumen como ciertos.

En cuanto a las repuestas institucionales, queda mucho por hacer: la voluntad política debe ir más allá de las normativas en las que se enmarca la violación de una propiedad. Debe ser sensible y estar permanentemente al lado y nunca por encima de los derechos fundamentales. Todas las entidades implicadas en un proceso de recuperación –la población en general, la sociedad civil organizada, las administraciones y entidades judiciales– deben ir de la mano en todo momento para continuar defendiendo y hacer efectivo el derecho a la vivienda.

Es obligación de las administraciones invertir todos sus recursos y esfuerzos en facilitar los procesos de integración social de todas las familias que viven en una vivienda recuperada y no dedicarse a crear nuevos dispositivos que provoquen estigmatización, presión y oposición a la integración.

En el contexto madrileño, es notoria la pésima gestión de la vivienda pública, que a lo largo de los años ha generado infinidad de irregularidades en cuestión de enajenaciones, adjudicaciones y reducciones de renta; a lo que se suma la voluntad política de excluir a las familias más vulnerables mediante requisitos y baremos sin justificación a la luz de los derechos humanos. En este ámbito, se ha negado sistemáticamente la posibilidad de escuchar la voz de las personas conocedoras de la complejidad que supone la ocupación.

Concluimos que los factores expuestos producen efectos negativos no solo en las personas afectadas directamente por estas circunstancias, sino en la sociedad en su conjunto, en las comunidades de vecinos, en los barrios, pueblos y ciudades, intoxicando la convivencia y fomentando el individualismo.

Por su parte, las asambleas que conforman la Coordinadora de Vivienda de Madrid trabajan por llevar a cabo un conjunto de acciones y estrategias colectivas que permiten afrontar las dificultades implícitas en la ocupación fomentando los cuidados, la comunicación, el optimismo y la recuperación de la convivencia; haciendo comunidad, tejiendo redes.

Ratificando que el problema no es la ocupación, ni las personas que ocupan, el verdadero problema es que se continúa vulnerando sistemáticamente el derecho a la vivienda, por lo que se defiende firmemente, ante circunstancias muy concretas, la legitimidad de recuperar viviendas para hacerlo realidad.

Se entiende como legítima toda acción destinada a la protección del derecho. Por tanto, ante una vulneración del derecho a la vivienda, es **legítimo** recuperar una vivienda para hacer efectivo este derecho.

La vivienda debe entenderse como un derecho integral, indivisible e interdependiente de otros, tanto sociales como económicos, culturales, civiles y políticos, por lo que la vivienda debe ser sostenible, habitable, asequible y segura. Desde la legitimidad, los colectivos que tienen la defensa de derechos humanos como objetivo central de sus acciones exigen una vivienda digna.

Existe una percepción difusa y confusa sobre la garantía de tenencia de una vivienda recuperada, que en ningún caso incluye la lucha por la titularidad del inmueble. Las personas que recuperan una vivienda no pretenden poner en cuestión la titularidad o posesión de la misma, sino defender su derecho de uso en condiciones de seguridad, paz y dignidad.

Consecuentemente, con esta concepción del derecho a la vivienda, todo desalojo debería considerarse ilegítimo si en su aplicación se producen violaciones de derechos. Siguiendo esta línea argumental, todos los desalojos no son legales *per se*, sino que deben cumplir un conjunto de requisitos que garanticen los derechos de las personas directamente implicadas en el desalojo: no discriminación, apoyo jurídico, no ejecución con fuerza, protección de sus bienes, entre otros.

La recuperación de una vivienda digna es legítima por cuanto esta acción encaminará una nueva estabilidad tanto emocional como social de todas las familias a quienes se les ha despojado de su vivienda habitual. La vivienda está directamente relacionada con la seguridad y el equilibrio emocional y, en consecuencia, con la identidad de las personas. La salud mental se equilibra cuando los factores biológicos, psíquicos y sociales se encuentran en armonía. En los procesos de desalojo debe considerarse formalmente la atención de vulnerabilidad de la población, creando dispositivos concretos y especializados a fin de garantizar su estabilidad y desarrollo físico, mental, moral y social.

Foto: Álvaro Minguito.

En esta línea política, para la Coordinadora de Vivienda de Madrid es legítimo recuperar una vivienda de la Sociedad de Gestión de Activos Procedentes de la Reestructuración Bancaria (SAREB), aunque desde el Gobierno no se asimile como parte de la política de vivienda. Asimismo, considera legítimo recuperar viviendas vacías adjudicadas a grandes tenedores mediante ejecuciones hipotecarias –más si se trata de entidades financieras rescatadas– en tanto que deben asumir su parte de responsabilidad social en el contexto de crisis económica y habitacional.

Ahora bien, una vez recuperadas las viviendas, de ningún modo se considerarán adecuadas, dignas, seguras y estables hasta no regular su situación mediante un régimen de tenencia que así lo garantice. Por tanto, se considera la recuperación de vivienda como una medida de emergencia y no como una solución definitiva.

PROPUESTAS Y RECOMENDACIONES

Medidas para hacer efectivo el derecho a la vivienda

Desde la PAH, el foco se centra en las medidas directas, en relación a la falta de hogar, que todos los Estados deben cumplir dentro del marco de los Derechos Humanos[111] y que sustentan la lucha por el derecho a la vivienda de las Plataformas de Afectados por la Hipoteca y las Asambleas de Vivienda del 15M de Madrid. Estas medidas se pueden recoger de la siguiente manera:

Foto: Álvaro Minguito.

111. Farha, 2015.

1. **Adoptar y aplicar estrategias para eliminar la falta de hogar**, con objetivos, metas y plazos claros y concretos.

2. **Eliminar la práctica de los desalojos forzosos**, especialmente cuando den lugar a la falta de hogar o a una situación de calle.

3. **Combatir y prohibir por ley la discriminación y la estigmatización** de las personas sin hogar y la creación de estereotipos negativos sobre ellas. Que el Código Penal recoja la situación socioeconómica de pobreza y exclusión como una situación de personas a las que hay que proteger, y que los comportamientos aporofóbicos e intolerantes sean perseguidos y castigados.

4. **Asegurar el acceso a los recursos legales** por violaciones de derechos, incluida la incapacidad de los Estados para adop-

tar medidas positivas con las que hacer frente a la falta de hogar.

5. **Regular las actividades de terceros** para que estén en conformidad con la erradicación de la falta de hogar y no discriminen directa o indirectamente a las personas sin hogar.

Todas las obligaciones expuestas se derivan del concepto de considerar la vivienda como un derecho básico, tal como estipula el artículo 47 de nuestra Constitución, y no como un simple bien de consumo que se compra y se vende, obviando su función social; de las disposiciones para protegerla en relación al derecho a la propiedad privada[112] y de los compromisos internacionales adquiridos al respecto.[113]

En esta línea, la lucha por el derecho efectivo a una vivienda digna y estable se concentra en la consecución de las siguientes cinco exigencias mínimas, **dirigidas al Gobierno del Estado**, necesarias y urgentes, destinadas a rescatar a la ciudadanía, y que se han venido a llamar "**las 5 de la PAH**":

1. Dación en pago retroactiva

– Mecanismos de segunda oportunidad para conceder la dación en pago y la condonación de la deuda.

– Inembargabilidad de la vivienda habitual de avalistas.

– Eliminación de cláusulas abusivas y compensación económica por las mismas.

112. Kothari, 2008.
113. Instrumento de Ratificación de España del Pacto Internacional de Derechos Económicos, Sociales y Culturales, 1966.

2. Alquiler asequible

- Reforma de la LAU para dar seguridad y estabilidad.
- Ampliación a un mínimo de cinco años y/o fórmulas en las cuales el contrato solo se pueda rescindir en casos concretos de urgencia.
- Establecer un marco de regulación de los precios que corresponda a los ingresos de la población.

3. Stop desahucio

- Moratoria sobre desahucios de primera y única vivienda.
- Obligación de bancos y grandes tenedores de vivienda de ofrecer el alquiler social a las familias afectadas antes de ejecutar un desahucio.
- Ayudas para pagar el alquiler cuando el propietario es un pequeño tenedor.
- Obligatoriedad de la Administración Pública de ofrecer realojos, también frente a casos de ocupación.
- Asegurar el derecho de arraigo en los realojos, ofreciéndolos en el mismo municipio y barrio.

4. Vivienda Social

- Movilización de vivienda vacía mediante la cesión obligatoria.
- Incrementar el parque público de vivienda.
- Alquileres sociales no superiores al 30% de los ingresos de la unidad familiar.

5. Suministros garantizados

- Principio de precaución: garantía de no cortar los suministros básicos de agua, luz y gas sin antes tener información sobre la situación de las afectadas.
- Bono social: pago en función de la capacidad adquisitiva.
- No asumir las deudas con recursos públicos, obligando a las suministradoras a que asuman el coste de las familias que no puedan pagar.

Para hacer efectivas estas cinco medidas, es imprescindible empezar por una serie de acciones concretas:

1. **Despenalización del delito de usurpación.** Como ya se ha explicado en capítulos anteriores, existe una vía civil cuando se trata de dirimir a quién corresponde el derecho de uso respecto a un determinado inmueble.

2. **Redacción de una norma estatal** que defina y regule la "vivienda desocupada" de manera general y común a fin de que pueda aplicarse al ámbito tributario, inmobiliario, estadístico y cualquier otro.

3. **Control de la especulación.** Medidas de presión fiscal que penalicen las viviendas vacías para su salida al mercado de alquiler. Medidas fiscales que obliguen al pago de impuestos a las SO-CIMI, elemento indispensable para que cumplan con la función social de la vivienda recogida en la Constitución Española.

4. **Manejo real de las estadísticas.** Creación de instrumentos que habiliten una estadística útil para el diseño de las políticas públicas de vivienda.

5. **Bolsa de vivienda accesible mediante alquiler social.** Para ello se hace imprescindible:

   a. La incorporación de viviendas de la Sociedad de Gestión de Activos Procedentes de la Reestructuración Bancaria (SAREB) al parque de vivienda pública. Damos por hecho que las negativas en este sentido son excusas que responden a un interés político.

   b. Un incremento en la aportación de inmuebles de las entidades adheridas al Código de Buenas Prácticas al Fondo Social de Viviendas (FSV), así como la ampliación de los supuestos y flexibilización de los requisitos para acceder a ellas.

Recomendaciones y propuestas a los ayuntamientos y Comunidad Autónoma de Madrid

1. **Empadronamiento.** Eliminación de trabas administrativas para el registro en el padrón en caso de recuperación de una vivienda. Además, para los casos en que no se puedan justificar facturas de suministros, eliminación de las visitas domiciliarias de miembros del cuerpo de Policía.

2. **Campaña de información.** Poner al alcance de las familias vulnerables la información necesaria para hacer efectivos sus derechos. Hay familias que no conocen los Servicios Sociales ni las ayudas a las que pudieran tener derecho, o la posibilidad de solicitar una vivienda pública. Asimismo, las familias que se ven en la necesidad de ocupar deberían disponer de la información, en todos los ámbitos posibles, de las consecuencias de este paso.

3. **Diagnóstico social.** Los profesionales de Servicios Sociales y de

los servicios de salud están capacitados para diagnosticar el nivel de precariedad de las familias en riesgo de perder la vivienda, así como el impacto en su salud. Dichos informes deberán tenerse en consideración en todas aquellas medidas que se tomen respecto a su situación.

4. **Vivienda y hábitat.** En un planteamiento amplio de las políticas de vivienda que no solo atiendan la gestión de edificios, sino que 'creen ciudad', consideramos imprescindible la dotación en nuestras ciudades y pueblos –con especial atención a las concentraciones de vivienda pública y social– de infraestructuras y acceso a recursos y servicios comunes necesarios para el desarrollo de la vida y que favorezcan la convivencia, fortaleciendo la vecindad y el tejido ciudadano: la vida en sociedad.

5. **Adjudicación de vivienda pública.** En cuanto a los sistemas de adjudicación, consideramos imprescindibles las siguientes medidas, en el marco de una política de vivienda centrada en su función social.

   a. Registro único de solicitantes de vivienda pública para la Comunidad de Madrid capaz de ser cruzado con los registros de vivienda vacía.

   b. Eliminación del sorteo como sistema de adjudicación de vivienda pública.

   c. Eliminación de requisitos para la inscripción como solicitante de vivienda pública más allá de la acreditación de necesidad de la misma.

   d. Eliminación de las penalizaciones impuestas a las personas que se han visto obligadas a recuperar una vivienda vacía ante la falta de respuesta institucional.

e. Parques de vivienda de emergencia. Todas las localidades de la Comunidad Autónoma de Madrid se ven afectadas por el gravísimo problema de los desahucios de vivienda habitual, pero en buena parte de ellos no hay ni una sola vivienda disponible cuando se produce un desalojo. En consecuencia, las administraciones deben establecer una estrategia efectiva para que este parque público de vivienda no solo esté disponible cuando reamente se necesite, sino que también tenga la capacidad de llevar una gestión fluida y que estas viviendas tengan una vida realmente dinámica, constituyendo un puente directo hacia la asignación de una vivienda pública en régimen de alquiler estable.

f. Parque de viviendas públicas y sociales inalienables, en régimen de alquiler y adecuadas a la situación física y socioeconómica de sus habitantes. La inversión en patrimonio público debe ser entendida como un bien para el conjunto de la población (al influir a la baja en los precios del mercado de alquiler) y no solo para sus adjudicatarios. El aumento de este parque de viviendas debe llegar por la vía de la recuperación de la vivienda vendida a fondos de inversión, así como de la presión hacia la SAREB y la banca/inmobiliarias/fondos de inversión para la cesión de parte de su *stock* de vivienda desocupada. La construcción de vivienda nueva no solo debe abordarse en caso de estimarse insuficiente la aportación de las viviendas ya construidas y no habitadas, debe ser parte de una política coherente y planificada que irá cubriendo necesidades a medio y/o largo plazo.

g. Regularización y estandarización de las relaciones contractuales sobre las viviendas sociales, en orden a proteger a los adjudicatarios de la diversidad de modelos de contrato, de la caducidad temporal de los mismos y de la indefinición de sus condiciones de renovación, entre otros.

Recomendaciones y propuestas al poder judicial y al Colegio de Abogados

Al Colegio de Abogados

Formación específica para la defensa del derecho a la vivienda, especialmente respecto al delito de usurpación. Entendemos como perfectamente defen- dible la oposición tanto a la denuncia como a una más que posible orden de desalojo, pero a menudo las defensas son débiles y enfocadas desde el desconocimiento, por lo que la formación en este ámbito se hace necesaria para hacer valer nuestros derechos en los tribunales.

Al fiscal jefe de Madrid

Se considera que, desde este órgano, las órdenes que siguen absolutamente todos los fiscales de Madrid cuando tramitan una denuncia por presunta usurpación es seguir adelante con la vía penal, sean cuales sean las circunstancias tanto de los ocupantes como de la vivienda recuperada. El derecho a la vivienda debe primar por sobre cualquier otro derecho que menoscabe la posibilidad de mantener y defender este derecho.

A los y las jueces de Madrid

1. Respeto a leyes que, como bien saben, están por encima del Código Penal, tales como la Declaración Universal de Derechos Humanos o el Pacto Internacional de Derechos Sociales, Económicos y Culturales.

2. Sentencias justas, que evalúen la situación personal de quienes viven ocupando, prestando especial atención a la posibilidad de eximente por estado de necesidad.

3. Ante una orden de desalojo, petición expresa a los organismos competentes sobre las ofertas de realojo ofrecidas. Paralización del mismo en tanto no se produzca dicha oferta.

Recomendaciones y propuestas a los medios de comunicación

Garantía a los receptores de la información de la neutralidad suficiente que les permita reflexionar apropiadamente y tomar su propia decisión al respecto. A los profesionales, como factor fundamental de la producción de información, se les recuerda, en los casos en que se vean vulnerados los principios éticos de la comunicación, la cláusula de conciencia que protege su integridad deontológica.

Recomendaciones de Amnistía Internacional

En otro orden de ideas, La PAH y los colectivos en defensa de la vivienda en Madrid se suman a las siguientes recomendaciones formuladas por **Amnistía Internacional** en su informe *Derechos desalojados. El derecho a la vivienda y los desalojos hipotecarios en España*, añadiendo que las personas que viven como inquilinas, así como las que viven ocupando sin título válido, deben ser tenidas en cuenta igualmente, y gozar de iguales niveles de protección:

Recomendaciones y propuestas al Gobierno de España

1. Mejorar la garantía de protecciones sobre el derecho a la vivienda:

— Absteniéndose de llevar a cabo desalojos hipotecarios de viviendas habituales mientras no se implementen todas las garantías de derechos humanos.

— Garantizando que el marco jurídico que regula los desalojos hipotecarios incorpore salvaguardias adecuadas de derechos humanos, incluida la realización de una prueba de proporcionalidad.

— Presentando un proyecto de ley ante las Cortes Generales que modifique la Ley de Enjuiciamiento Civil para que, en las ejecuciones hipotecarias de viviendas habituales, los jueces puedan evaluar caso por caso la proporcionalidad y razonabilidad del desalojo hipotecario.

— Estableciendo un mecanismo preceptivo que supervise la negociación entre bancos y familias antes de iniciarse la ejecución hipotecaria de viviendas habituales, a fin de garantizar que se respeta el principio de la igualdad de armas y que el desalojo es realmente el último recurso una vez que se han estudiado todas las alternativas posibles.

— Modificando el artículo 53 de la Constitución para reforzar la garantía de protecciones del derecho a la vivienda.

— Ratificando la Carta Social Europea (revisada) de 1996 y su Protocolo adicional de 1995, que prevé un sistema de reclamaciones colectivas.

— Aplicando las recomendaciones de los organismos internacionales de vigilancia de los derechos humanos, en particular del Comité de Derechos Económicos, Sociales y Culturales, de la relatora especial sobre el derecho a la vivienda, del comisario de Derechos Humanos del Consejo de Europa y del Comité Europeo de Derechos Sociales.

2. Proporcionar acceso a la vivienda:

— Garantizando la implementación de medidas efectivas para examinar todas las alternativas posibles al desalojo; ninguna persona debe quedarse sin hogar a causa del desalojo.

— Regulando las condiciones básicas que garantizan la igualdad en el ejercicio del derecho a la vivienda presentando ante las Cortes Generales un proyecto de ley sobre derecho a la vivienda basado en las normas internacionales de derechos humanos.

— Adoptando todas las medidas a su disposición para que la SAREB esté obligada a utilizar su parque de viviendas vacías con plazos concretos y así garantizar el acceso a la vivienda de tantas personas como sea posible.

— Trabajando en coordinación con las comunidades autónomas para destinar más recursos a ampliar el parque de vivienda social.

Garantizar transparencia y acceso a la información

— Solicitando al Instituto Nacional de Estadística que recopile información desglosada (por género, edad, nacionalidad, etc.) sobre las condiciones de vivienda, las ejecuciones hipotecarias y los desalojos hipotecarios.

— Evaluando y dando a conocer el probable impacto de las políticas públicas relativas a desalojos hipotecarios sobre la población, especialmente las personas más vulnerables y, en particular, realizando evaluaciones del impacto.

— Llevando a cabo consultas genuinas con las personas afectadas y las organizaciones de la sociedad civil sobre las medidas
introducidas para mitigar los efectos de los embargos hipotecarios, y garantizando transparencia y el derecho de acceso
a la información de la ciudadanía.

Recomendaciones y propuestas a la Administración de Justicia

1. Aplicar las normas internacionales de derechos humanos relativas a los derechos económicos, sociales y culturales, garantizando la eficacia de los derechos reconocidos en la
Constitución y prestando especial atención a los principios
de igualdad y no discriminación.

2. Impartir a los miembros del poder judicial la formación necesaria en materia de derecho internacional de los derechos
humanos relativo a los derechos económicos, sociales y culturales.

Recomendaciones y propuestas a las comunidades autónomas

1. Emplear todos los recursos disponibles para conseguir la
realización progresiva del derecho a la vivienda y abstenerse de adoptar medidas deliberadamente regresivas que
son contrarias al derecho internacional de los derechos humanos.

2. Adoptar legislación sobre el derecho a la vivienda que sea
acorde con el derecho internacional de los derechos humanos.

3. Realizar evaluaciones del impacto de las políticas de vivienda sobre los derechos humanos, en consulta con las personas afectadas y las organizaciones de la sociedad civil, y garantizando transparencia y acceso a la información.

4. Llevar un censo actualizado de viviendas vacías y analizar la disponibilidad de viviendas vacías de propiedad privada como posible recurso para hacer efectivo el derecho a la vivienda.

5. Garantizar que el programa de protección social permite que todas las familias disfruten de un nivel de vida adecuado.

A la Comunidad de Madrid, además

1. Garantizar que toda venta de vivienda social es compatible con la necesidad de incrementar la disponibilidad de vivienda social en Madrid.

2. Rectificar las medidas regresivas que afectan a la RMI aprobadas en 2012.

A los municipios

1. Emplear todos los recursos disponibles para conseguir la realización progresiva del derecho a la vivienda y abstenerse de adoptar medidas deliberadamente regresivas que son contrarias al derecho internacional de los derechos humanos.

2. Realizar evaluaciones del impacto de las políticas de vivienda sobre los derechos humanos, en consulta con las personas afectadas y las organizaciones de la sociedad civil, y garantizando transparencia y acceso a la información.

Recomendaciones del Defensor del Pueblo

Así mismo, la PAH y los colectivos de vivienda se suman a las recomendaciones realizadas por el **Defensor del Pueblo** en su informe anual del ejercicio 2015 respecto de las quejas recibidas por el procedimiento de adjudicación de viviendas protegidas seguido en la Comunidad de Madrid.

–Establecer un sistema para informar periódicamente a los solicitantes de viviendas de protección pública por especial necesidad del orden otorgado en la lista de espera de su solicitud, con el fin de que conozcan el lugar en que se encuentran respecto al resto de peticionarios.

Por otra parte, se hace necesario resaltar las conclusiones obtenidas de las XXX Jornadas de Coordinación de los Defensores del Pueblo, celebrada en septiembre de 2015 en la ciudad de Santander, que tuvieron por objeto analizar la situación de la vivienda pública en España. Dichas conclusiones rezan:

1. Resulta necesario que los poderes públicos den respuesta a uno de los principales problemas que aquejan a los ciudadanos en nuestro país, como es la situación de quienes no pueden disponer de una vivienda digna y adecuada, problema que se ha hecho más visible con la situación de crisis económica que ha atravesado nuestro país. Los Defensores del Pueblo recordamos que la Constitución considera el acceso al disfrute de una vivienda digna y adecuada como derecho constitucional en el Título I de los derechos y deberes de los ciudadanos (artículo 47), y que corresponde a los poderes públicos del Estado social (artículo 1) asegurar este derecho a través de la legislación positiva (tanto estatal como

autonómica) y dotarlo de un contenido concreto y exigible ante la Administración y los Tribunales de Justicia, así como a disponer de los recursos suficientes para hacer efectivo este derecho de los ciudadanos en atención a las circunstancias familiares, personales y económicas de estos (artículo 53 de la Constitución). Por ello, instamos al Estado y a las comunidades autónomas a que impulsen la legislación suficiente que garantice este derecho constitucional y a que a través de los presupuestos respectivos doten de recursos a las Administraciones competentes para materializarlo a favor de los ciudadanos que lo necesiten.

2. Demandamos a las administraciones públicas que aumenten y refuercen el parque de vivienda pública en alquiler.

3. Sería necesario disponer de información y de datos fiables en cada territorio sobre la necesidad real de vivienda, sobre la evolución de los precios de las viviendas protegidas en comparación con los precios de las viviendas libres, sobre el parque público de viviendas en alquiler, y en general sobre los instrumentos básicos que permitan una estadística útil para el diseño de las políticas públicas de vivienda.

4. Es necesario reservar un porcentaje de las viviendas a los colectivos vulnerables y personas con especial necesidad de vivienda.

5. Consideramos más justo que la adjudicación de las viviendas de protección pública se realice conforme a un sistema de baremación previamente establecido y no por sorteo. Deben reforzarse la publicidad, transparencia, celeridad y eficacia de los procedimientos de adjudicación de viviendas.

6. Es necesario definir y regular el concepto de vivienda vacía e impulsar su correcto inventario, dinamizar la puesta a disposición en el mercado de alquiler de las viviendas protegidas deshabitadas y, en caso contrario, adoptar medidas de intervención pública.

7. Es necesaria la implantación de registros de viviendas protegidas, o la mejora de los ya existentes, donde se inscriban todas ellas. Dichos registros deben contener datos suficientes para permitir un control fiable del número de viviendas, y además estar diseñados de modo homogéneo en las distintas comunidades autónomas.

8. En relación con las ayudas a la vivienda proponemos que se revisen y que se mejore su gestión para evitar el retraso en la resolución de las convocadas y en el pago de las ya reconocidas. Debe hacerse efectivo el sistema de ayudas para el fomento del alquiler y de la rehabilitación edificatoria y de la regeneración y renovación urbanas. Debe mejorarse la fiscalidad de la vivienda y aliviar el esfuerzo para mantenerse en la vivienda por las personas que, por circunstancias sobrevenidas no imputables a ellas, no puedan hacer frente a sus obligaciones.

9. Deben hacerse efectivos los patrimonios públicos de suelo, y estudiarse la creación por las comunidades autónomas de patrimonios o bancos de suelo público destinados a la construcción de viviendas de protección oficial o promoción pública.

10. La Sociedad de Gestión de Activos Procedentes de la Reestructuración Bancaria (SAREB) y el Fondo Social de Viviendas (FSV) son actores cualificados del mercado de vivienda. Consideramos que en política de vivienda se debe

tener en cuenta las bolsas de vivienda, entre ellos las de la SAREB, las entidades financieras y el FSV. Deben **ampliarse los supuestos y flexibilizar los requisitos** para que las personas y familias que han perdido sus viviendas puedan acceder a las que nutren el Fondo Social de Vivienda.

Recomendaciones de los Servicios Sociales

Por último, se hace un llamamiento para poner en práctica las siguientes recomendaciones formuladas por la **Asociación Estatal de Directoras y Gerentes en Servicios Sociales** referentes a la Comunidad de Madrid en su *Informe de valoración del desarrollo de los servicios sociales en 2015 por comunidades autónomas.*

1. **Recuperar e incrementar el gasto en servicios sociales.** Las Administraciones Públicas de la Comunidad de Madrid (Gobierno de la comunidad y entidades locales) deben plantearse como objetivo a corto plazo **alcanzar el nivel medio de gasto en materia de servicios sociales del conjunto del Estado, para lo cual su gasto anual en esta materia debe crecer en 208 millones de euros anuales.** Reforzar los servicios sociales es esencial teniendo en cuenta las situaciones de necesidad que afectan a decenas de miles de personas y familias, y los gravísimos riesgos de que unas situaciones tan extendidas, tan agudas y tan prolongadas puedan conllevar que la pobreza se convierta para muchas de ellas en procesos de exclusión social.

2. Este incremento del **gasto debe tener como prioridad tres ámbitos esenciales** para responder a la situación actual y a las necesidades de la población en la Comunidad de Madrid:

   – **Avanzar en la aplicación de la Ley de la Dependencia.** A pesar de que la Comunidad de Madrid ha mejorado la cobertura de su Sistema de Atención a la Dependencia, hasta situarse por encima de la media estatal, la incorporación de los dependientes moderados ha situado el limbo de la dependencia en esta comunidad en un 22,6%, por lo que este esfuerzo debe continuar para incorporar a estas personas con derecho reconocido y que están a la espera de recibir las prestaciones y servicios que precisan. Si se priorizan las prestaciones de servicios (domiciliarios, centros de día y residenciales), este incremento de la cobertura para la atención a las personas en situación de dependencia puede tener efectos muy beneficiosos también sobre el empleo en la Comunidad de Madrid.

— **Incrementar la extensión y la cuantía de las Rentas Mínimas de Inserción,** tan importantes en una situación como la actual para garantizar un nivel digno de calidad de vida y prevenir la exclusión social de las personas y familias más afectadas por la crisis y el paro. Por eso, aunque la Comunidad de Madrid ha mejorado un año más su cobertura y se ha situado por encima de la media estatal, estos porcentajes son todavía inferiores al 10% de la población bajo el umbral de la pobreza en esa Comunidad (<60% de la media de renta). Así mismo, la Comunidad de Madrid debería plantearse una nueva legislación en materia de rentas mínimas que adecue estas prestaciones a las nuevas necesidades y circunstancias de la población, lo que requiere diferenciar la garantía de ingresos del derecho a la inclusión, y favorecer la motivación para el empleo, complementando las rentas provenientes del mismo cuando no alcancen el nivel mínimo para la cobertura de las necesidades más básicas.

- Reforzar la red básica de servicios sociales de las entidades locales de su territorio. La Comunidad de Madrid sigue teniendo como reto reforzar su red básica de servicios sociales en el ámbito local, ya que tiene menos de la mitad de profesionales por habitantes en el conjunto del Estado. Esta debilidad de su red básica puede ser una limitación que afecta a la eficacia y eficiencia de los servicios sociales en esta comunidad.

3. Es una prioridad y una urgencia para el Sistema de Servicios Sociales de la Comunidad de Madrid aprobar una nueva ley que reconozca derechos subjetivos y su concreción en un catálogo o cartera. Así mismo, es imprescindible una planificación estratégica de los servicios sociales en esta Comunidad. Sin estas referencias legislativas, normativas y de planificación, la cobertura de prestaciones y servicios sociales en la Comunidad de Madrid es una cobertura en riesgo carente de garantías.

RESUMEN

Viven a nuestro lado pero les falta un papel. Por habitar su casa sin este papel, se enfrentan a la policía, a actitudes estigmatizadoras, a procesos judiciales, a la discriminación institucional, al miedo al timbre, a la precariedad implacable, a la ansiedad constante... todo esto, solo por tener un techo.

En este informe hablamos de aquellas vecinas que han tenido que recuperar un piso sin disponer de título, para que se cumpliera su derecho a una vivienda. Frente a más de 68.759 ejecuciones hipotecarias en la Comunidad de Madrid desde 2008, y frente a la nueva burbuja que les excluye de los mercados de alquiler, cada vez son más las vecinas que encuentran en la recuperación de una vivienda la única opción posible para disponer de un lugar donde vivir. Se nota en nuestras asambleas, y se nota en los juzgados: los datos demuestran un auge de más de ocho veces el número de diligencias previas por usurpación, que según nuestras estimaciones correspondería a la recuperación de 15.888 pisos en la Comunidad de Madrid entre septiembre de 2014 y septiembre de 2015.

Es hora de llamar a las cosas por su nombre y dejar de considerar la ocupación como un problema que hay que solucionar. Se trata de la consecuencia del sistema actual de provisión de vivienda, que, a modo de centrifugadora, excluye a miles de personas de los cauces establecidos de acceso a un techo.

El presente informe pretende sacar a la luz la situación de exclusión que afrontan estas personas, exponiendo el contexto político, económico y social en el que desarrollan sus vidas, y acercándonos a sus historias. La principal fuente ha sido la serie de 33 entrevistas realizadas en julio y agosto de 2015 a personas que han vivido en un piso recuperado en Madrid durante los últimos tres años y que han acudido a una asamblea de vivienda.

Partiendo de este conocimiento y de nuestra experiencia en la defensa del derecho a la vivienda, plantearemos recomendaciones y propuestas concretas dirigidas a nuestras instituciones, como paso necesario para que este derecho sea de una vez por todas, una realidad constatable.

Especulación

La historia reciente de la ocupación de viviendas en Madrid empieza con la especulación de la estafa inmobiliaria, la llamada burbuja. Una aparente inclusión en el mercado de vivienda hipotecada dejó a millones de familias vulnerables al antojo, y a la irresponsabilidad, de la banca. Con el estallido de la burbuja hipotecaria, muchas familias afectadas por la crisis y la precariedad del mercado laboral dejaron de poder afrontar al pago del alquiler o de la hipoteca de su vivienda. ¿Dónde buscaron refugio las afectadas de los 79.872 lanzamientos de desalojo decretados por los juzgados de la Comunidad de Madrid entre 2008 y 2015? Muchas acudieron al abrigo de sus familiares, y algunas encontraron alternativas temporales en el mercado de alquiler. Pero, para todas, sus crisis familiares continúan.

A este contexto económico hay que sumar las políticas de nuestro Estado, basadas en la defensa de los mercados y de la banca, que dejan en desamparo a la ciudadanía, presionada además por un cóctel de medidas tales como recortes sociales, desmantelamiento del parque de vivienda pública y social, y por si fuera poco, la proliferación de desalojos sin atender las consecuencias sociales de los mismos.

El mantenimiento de viviendas vacías responde a una estrategia de especulación de mercado inmobiliario, a la espera del auge de una nueva burbuja de precios que ya empezamos a ver. Pero esta estrategia es vulnerable a la acción popular. Simplemente las viviendas están ahí y la economía informal, la de la calle, se impone. En muchas ocasiones la necesidad de darles el uso social para el que fueron construidas impera sobre la voluntad especulativa.

Empobrecimiento

A pie de calle, la especulación se traduce en empobrecimiento. Situaciones graves de falta de los recursos más básicos que encuentran en la ocupación una solución de resistencia.

La ocupación y la desobediencia a la pobreza en general no eliminan la pobreza, la modulan.

Los ingresos declarados en las entrevistas realizadas oscilan entre 345,80 y 520,47 euros mensuales, muy por debajo de los 9.618 euros establecidos como umbral de pobreza regional.

Las personas desarrollan los medios necesarios para cubrir sus necesidades vitales, como vivienda, suministros y alimento, en definitiva, innovando recursos de supervivencia, y en consecuencia son represaliadas. De las 33 familias entrevistadas, solo cuatro pagaban contrato de luz.

Con datos reales presentamos el alcance de estas circunstancias en el día a día de quienes ocupan, basándonos en testimonios de personas integradas en colectivos de defensa del derecho a la vivienda. Veremos cómo la ocupación, en tanto que solución de emergencia por falta de vivienda, sumerge a estas personas en un sinfín de complicaciones. Los datos nos acercan a la idea de que "le puede pasar a cualquiera".

Criminalización

La vida de las familias que han recuperado una vivienda es una vida precaria y dura, sobre la que acechan múltiples amenazas y sobre la que recaen prejuicios y estereotipos, que en mayor o menor medida, contribuyen a la discriminación.

La historia de las familias que ocupan comienza el día en que toman la decisión de entrar a vivir en una casa sin autorización de su propietario. La apertura del inmueble y el acceso a suministros, la relación con el nuevo vecindario y la espera de las consecuencias legales suponen un proceso de angustia que se cronifica con consecuencias terribles para la salud.

La sociedad no está preparada para cobijar a estas familias. Además de sus dificultades y contextos individuales, estas personas deben afrontar esta nueva etapa de su vida en un entorno alarmantemente hostil. El estigma social, apoyado y fomentado por los medios de comunicación, se materializa en actitudes de bloqueo y ocultación. Las opciones de ayudas sociales y de vivienda pública se reducen o directamente desaparecen, a la par que el acoso policial y judicial se incrementa.

Ante el auge de la ocupación de viviendas vacías, la desatención a estas personas por parte de las instituciones se ha tornado en ataque. En un panorama de acoso múltiple, encontramos figuras como el comisario "antiokupa", el censo de viviendas ocupadas, el chantaje por parte de bancos, fondos buitre y otras mafias y la imposibilidad de acceso a viviendas públicas, entre otras, que, lejos de dar solución, aceleran el ciclo de desalojo y nueva ocupación. Quince de las 33 familias entrevistadas fueron previamente desalojadas por orden judicial.

Legitimación

La recuperación de un piso abandonado por su propietario, para darle un uso social, es legítima.

Se trata del autotutelaje del derecho a la vivienda, que está recogido tanto en la legislación española y europea como en los acuerdos internacionales. Sin embargo, la vivienda recuperada no se puede considerar una vivienda adecuada, pues no alcanza a cumplir los requisitos mínimos que permitan el desarrollo de una vida digna. Dentro de los muchos factores que incumplen, los más alarmantes son la falta de seguridad en la tenencia y la posibilidad de un desalojo forzoso. No podemos olvidar que, junto a la vulneración del derecho a la vivienda, se están quebrantando otros derechos tales como los relativos a la salud y la infancia, por ejemplo.

Para conseguir la estabilidad en la vivienda de estas personas, la solución es el alquiler social, adaptado a las circunstancias económicas de los inquilinos, para lo que resulta imprescindible sacar vivienda del mercado libre. Este camino, aunque prácticamente invisible, ya existe, pero no podemos continuar con las soluciones de alquiler conseguidas por cuentagotas: deben ser estructurales.

Se requiere un cambio de paradigma, en el que la vivienda se destine a su función social y no se considere un bien de consumo. Necesitamos arrancar definitivamente la andadura hacia el alquiler social universal.

Recomendaciones

Como claves para hacer efectivo el derecho a la vivienda apuntamos las siguientes líneas de acción:

1. Adoptar y aplicar estrategias para eliminar la falta de hogar.
2. Eliminar la práctica de los desalojos forzosos.
3. Combatir y prohibir por ley la discriminación y la estigmatización de las personas sin hogar y la creación de estereotipos negativos sobre ellas.
4. Asegurar el acceso a los recursos legales.
5. Regular las actividades de terceros para que estén en conformidad con la erradicación de la falta de hogar.

Estas claves se concretan en recomendaciones y propuestas dirigidas a diferentes instancias como son el Gobierno estatal, los ayuntamientos, la Comunidad de Madrid, el poder judicial, el Colegio de Abogados y los medios de comunicación.

Como exigencias mínimas, dirigidas al **Gobierno estatal**, necesarias y urgentes, destinadas a rescatar a la ciudadanía, recordamos las siguientes cinco, etiquetadas popularmente como "las 5 de la PAH":

1. Dación en pago retroactiva.
2. Alquiler asequible.
3. Stop desahucio.
4. Vivienda social.
5. Suministros garantizados.

Para hacer efectivas estas cinco medidas, es imprescindible empezar por una serie de acciones concretas:

1. Despenalización del delito de usurpación.
2. Redacción de una norma estatal que defina y regule la "vivienda desocupada".
3. Control de la especulación.
4. Manejo real de las estadísticas.
5. Bolsa de vivienda accesible mediante alquiler social.

Como recomendaciones y propuestas a los **Ayuntamientos y la Comunidad Autónoma de Madrid**

1. Eliminación de trabas administrativas para el registro en el **padrón** en caso de recuperación de una vivienda.

2. Realización de **campañas informativas** que pongan al alcance de las familias vulnerables la información necesaria para hacer efectivos sus derechos.

3. Realización de un **diagnóstico social.**

4. Planteamiento amplio de las políticas de vivienda que incluyan la **gestión del hábitat.**

5. Reformar los sistemas de **adjudicación de vivienda pública** en el marco de una política de vivienda centrada en su función social.

Por último, resumimos las siguientes recomendaciones y propuestas:

1. **Al Colegio de Abogados.** Formación específica para la defensa del derecho a la vivienda, especialmente respecto al delito de usurpación.

2. **Al fiscal jefe de Madrid.** Prevalencia del derecho a la vivienda sobre cualquier otro derecho que menoscabe la posibilidad de mantener y defender este derecho.

3. **A los y las jueces de Madrid.** Respeto a la la Declaración Universal de Derechos Humanos y al Pacto Internacional de Derechos Sociales, Económicos y Culturales. Evaluación de la situación personal de quienes viven ocupando. Ante órdenes de desalojo, petición expresa a los organismos competentes sobre las ofertas de realojo ofrecidas y paralización del mismo en tanto no se produzca dicha oferta.

4. **A los medios de comunicación.** Garantía a los receptores de la información de la neutralidad suficiente que les per-

mita reflexionar apropiadamente y tomar su propia decisión al respecto

Además de lo hasta aquí expuesto, no sumamos a las recomendaciones del **Defensor del Pueblo**, las formuladas por **Amnistía Internacional** en su informe *Derechos desalojados* y las de la **Asociación Estatal de Directoras y Gerentes en Servicios Sociales** referentes a la Comunidad de Madrid.

BIBLIOGRAFÍA

AGENCIAS (12-4-2016), "El Gobierno en funciones crea la figura del 'comisario antiokupa' en Madrid", *Eldiario.es*.

AGENCIAS (13-10-2008), "El Gobierno avalará con 100.000 millones la deuda de la banca", en *El País*.

AKERLOFF, G. A., y SHILLER, R. J. (2009), "Why do real estate markets go through cycles?", en *Animal Spirits: How Human Psychology Drives the Economy, and Why It Matters for Global Capitalism*, Princeton University Press, Princeton, págs. 149-156.

ALBA HERNÁIZ, L. (2015), *La ocupación de viviendas: un estudio de caso en el Distrito de Villaverde, Madrid [Squatting houses: a case study in the district of Villaverde, Madrid]*, Universidad Carlos III de Madrid, Facultad de Ciencias Sociales y Jurídicas, Getafe.

ALLEN, J.; BARLOW, J.; LEAL, J.; MALOUTAS, T., y PADOVANI, L (2004). *Housing and welfare in Southern Europe*, Blackwell, Londres, 2004.

ÁLVAREZ, M. J. (25-1-2016), "Mafias de okupas atemorizan a cientos de vecinos en Vallecas", en *ABC*.

AMNISTÍA INTERNACIONAL (2015), *Derechos desalojados: el derecho a la vivienda y los desalojos hipotecarios en España*, Madrid. En https://grupos.es.amnesty.org/uploads/media/informe_vivienda_jun_15_Derechos_desalojados.pdf

BADDELEY, M. (2005), "Housing Bubbles, Herds and Frenzies: Evidence from British Housing Markets", en *Centre for Economics and Public Policy Policy Briefings, 2*.

BADDELEY, M. (2011). "Social Influence and Household Decision-Making: A Behavioural Analysis of Housing Demand", en *Cambridge Working Papers in Economics* (1120).

BALCHIN, P. (ed.) (1996). *Housing policy in Europe,* Routledge, Londres.

BANCO DE ESPAÑA (2016). *19.2 Unofficial mortgage market and other interest rates.* En Banco de España - Statistics - Interest Rates and Exchange Rates, 15 de enero de 2016: http://www.bde.es/webbde/en/estadis/infoest/tipos/tipos.html

BANCO DE ESPAÑA (2016b). *Nota informativa sobre ayudas públicas en el proceso de reestructuración del sistema bancario español (2009-2016).* Madrid.

BANCO MUNDIAL (2015), Databank: Indicadores del desarrollo mundial. En: http://datos.bancomundial.org/

BARROSO, F. J. (21-4-2016), "Los madrileños colapsan el número de la policía contra los okupas", en *El País.*

BARROSO, F. J. (24-7-2013), "Once detenidos en el desahucio de una familia okupa en Villaverde", en *El País.*

BELLOD REDONDO, J. (2015), "Plan E: la estrategia keynesiana frente a la crisis en España", en *Revista de Economía Crítica* (20).

BOE (1995), *Ley Orgánica 10/1995, de 23 de noviembre, del Código Penal.* En el Boletín Oficial del Estado: https://www.boe.es/buscar/doc.php?id=BOE-A-1995-25444

BONVALET, C., y GOTMAN, A, *Le Logement, une affaire de famille,* L'Harmattan, París, 1993.

BUILDING AND SOCIAL HOUSING FOUNDATION (2007), *Revisión de la vivienda social, cooperativa y pública en los 27 estados europeos.* En: http://www.bshf.org/published-information/publication. cfm?lang=01&thePubID=CE5EBB45-15C5-F4C0-992A576CD5800BEB

BURÓN CUADRADO, J. (14-1-2012), "El tratamiento de la vivienda vacía en los países más avanzados de la UE", en *Paisaje Transversal:* http://www.paisajetransversal.org/2012/01/el-tratamiento-de-la-vivienda-vacia-en.html

CÁMARA DE CUENTAS DE LA COMUNIDAD DE MADRID (2015), *Informe de fiscalización de operaciones de enajenación del patrimonio inmo-*

biliario del IVIMA y controles realizados por las instituciones competentes.

CÁMARA DE CUENTAS DE LA COMUNIDAD DE MADRID (2016), *Informe de fiscalización de operaciones de enajenaciones del patrimonio inmobiliario de la EMVS de Madrid y controles realizados por las instituciones competentes.*

CANO FUENTES, G.; ETXEZARRETA ETXARRI, A.; DOL, K., y HOEKSTRA, J. (2013), "From Housing Bubble to Repossessions: Spain Compared to Other West European Countries", en *Housing Studies, 28* (8), págs. 1197-1217.

CANO, G., y ETXEZARRETA, A. (2014), "La crisis de los desahucios en España: respuestas institucionales y ciudadanas", en *Revista de Economía Crítica* (17).

CARRETERO MIRAMAR, José Luis (ed.) (2015), *Tu casa no es tuya, es del banco*, Queimada, Madrid.

CASTEL, R. (2014), "Riesgos de exclusión social en un proceso de incertidumbre", en *Revista Internacional de Sociología (RIS)* .

CASTELLS, M. (1983), *The City and the Grassroots,* University of California Press, Berkeley.

CASTRO GARCÍA, C. (2013). "¿Cómo afecta la crisis y las políticas de austeridad a los derechos de las mujeres y a la igualdad?", en L. Vicent, C. Castro, A. Agenjo, y Y. Herrero, *El desigual impacto de la crisis sobre las mujeres*, FUHEM Ecosocial, Madrid, págs. 13-23.

CATTANEO, C., y MARTÍNEZ LÓPEZ, M. A. (2014), "Introduction: Squatting as an Alternative to Capitalism. In Squatting Europe Kollective", en *The Squatters' Movement in Europe*, Pluto Press, Londres, págs. 1-25.

CODINA, A. D. (2015), "El impacto de los desahucios en la salud", en G. F. Escuela Andaluza de Salud Pública (ed.), *XV Jornada Desigualdades Sociales y Salud*, Granada, pág. 56.

COLAU, Ada (24-7-2011), *Cómo se para un desahucio.* En http://afectadosporlahipoteca.com/2011/07/24/como-se-para-un-desahucio-la-experiencia-de-la-pah/

COLAU, A., y ALEMANY, A. (2012), *Vidas hipotecadas: de la burbuja inmobiliaria al derecho a la vivienda.* Cuadrilátero de Libros, Barcelona.

COMISIÓN DE DERECHOS HUMANOS DE LAS NACIONES UNIDAS, Resolución *2004/28. Prohibición de los desalojos forzosos.*

COMITÉ DESC (1991), *Obsevación General n.º 4. El derecho a una vivienda adecuada (párrafo 1 del artículo 11 del Pacto.*

COMITÉ DES (1997), *Observación General n.º 7. El derecho a una vivienda adecuada (párrafo 1 del artículo 11 del Pacto): los desalojos forzosos.*

COMITÉ ECONÓMICO Y SOCIAL EUROPEO (13-7-2007), *Dictamen. La vivienda y la política regional,* DOUE Serie C n.º 161. En: http://vlex.com/vid/52540892

COTORRUELO, A. (1960), *La política económica de la vivienda en España,* Consejo Superior de Investigaciones Científicas, Madrid.

CZISCHKE, Darinka, y PITTINI, Alice (2007), *Housing Europe, Review of Social, Co-operative and Public Housing in the 27 EU Member States,* CECODHAS, European Social Housing Observatory, Bruselas.

DAPONTE CODINA, Antonio; MATEO RODRÍGUEZ, Inmaculada; VÁSQUEZ-VERA, Hugo (2016), "Los desahucios y la salud, se necesita una respuesta desde la salud pública en España", en *Gaceta Sanitaria.*

DANIERE, A. (1992), "Determinants of Tenure Choice in the Third World: An Empirical Study of Cairo and Manila", en *Journal of Housing Economics* (2), págs. 159-184.

DECLARACIÓN UNIVERSAL DE LOS DERECHOS HUMANOS. En http://www.un.org/es/documents/udhr/index_print.shtml

DEFENSOR DEL PUEBLO (2013). *Estudio sobre viviendas protegidas vacías. https://www.defensordelpueblo.es/wp-content/uploads/2015/05/2013-03-Estudio-Viviendas-Protegidas-Vac%C3%ADas.pdf*

DEFENSOR DEL PUEBLO (09-4-2013), *Crisis económica y deudores hipotecarios: actuaciones y propuestas del Defensor del Pueblo.*

DÍAZ, V. M. (2006), "Medios de comunicación, educación y realidad", en *Revista Científica de Comunicación y Educación.*

DOL, Kees, y HAFFNER, Marietta (2010). *Housing Statistics in the European Union, 2010.* Delft University of Technology, Holanda. Disponible en: http://abonneren.rijksoverheid.nl/media/dirs/436/data/housing_statistics_in_the_european_union_2010.pdf

DONNER, C. (2000), *Housing Policies in the European Union,* Christian Donner, Viena.

DURÁN, L. F. (5-2-2016), "Protesta en Vallecas contra las mafias que okupan los pisos", en *El Mundo.*

DURÁN, Luis F. (29-2-2016), "Juicios rápidos y medidas cautelares para el desalojo de las mafias okupas de Madrid", en *El Mundo.*

DURÁN, L. F. (11-4-2016), "Peleas de gallos y vehículos incendiados en la urbanización sin ley de Vallecas", en *El Mundo.*

DURÁN, L. F. (19-4-2016), "La Policía habilita un teléfono gratuito para que los afectados informen de las okupaciones mafiosas", en *El Mundo.*

DURÁN, L. F. (21-9-2016), "En Madrid hay 1.398 viviendas ocupadas y 634 usurpadores de casas identificados", *El Mundo.*

DURÁN, L. F., y BÉCARES, R. (14-7-2016), "La Policía registra 15 avisos de okupaciones al día", *El Mundo.*

DURÁN, L. F., y UNDABARRENA, Á. (25-2-2016), "El mapa de la mafia okupa en Madrid", en *El Mundo.*

EFE (30-4-2014), "Incidentes en el desahucio de una inquilina del plan municipal de Parla", *El Mundo.*

EFE (18-11-2015), "PP acusa al Ayuntamiento de amparar a los okupas y generar 'efecto llamada'", en *La Vanguardia.*

"El Ayuntamiento realizará un censo cualitativo de viviendas ocupadas en Madrid" (19-4-2016), en Madrid.es.

ESPING ANDERSEN, G.; GALLIE, D.; HEMERIJCK, A., y MYLES, J. (2002), *Why we need a new welfare state.* Oxford University Press, Oxford.

ESPING-ANDERSEN, G. (1990), *The Three Worlds of Welfare Capitalism,* Polity Press, Cambridge.

Estrategia Nacional Integral para Personas Sin Hogar 2015-2020, aprobada por Acuerdo de Consejo de Ministros de 6 de noviembre de 2015. En http://www.msssi.gob.es/ssi/familiasInfancia/inclusionSocial/docs/ENIPSH.pdf

EUROPA PRESS (4-6-2016), "El PP le dice a Carmena que la okupación 'no es un fenómeno cultural sino un delito'", en *Informativos Telecinco.*

EUROPA PRESS (26-8-2016), "El Ayuntamiento se querellará contra la EMVS y se personará en la causa ya iniciada por los afectados".

ÉVOLE, J., y LARA, R. (directores) (2015), "Cuatro días con la PAH: derecho a techo", en *Salvados* [Programa].

FARHA, L. (2015), *Informe de la relatora especial sobre una vivienda adecuada como elemento integrante del derecho a un nivel de vida adecuado y sobre el derecho de no discriminación al respecto,* Asamblea General de Naciones Unidas.

FISCALÍA GENERAL DEL ESTADO (1996-2015), *Memorias anuales,* Fiscalía General del Estado, Madrid.

FORGAS BERDET, E. (2013), *Ideología y lenguaje periodístico: los titulares en la prensa hispana,* Universitat Rovira i Virgili, Tarragona, p. 12.

GARCÍA HERRERO, Gustavo A., y RAMÍREZ NAVARRO, José Manuel (2015), *Valoración del desarrollo de los servicios sociales,* Asociación Estatal de Directoras y Gerentes en Servicios Sociales.

GARCÍA MONTALVO, JOSÉ, et al. (2003), *Financiación de la vivienda. Perspectivas del sistema financiero,* Fundación de las Cajas de Ahorros Confederadas para la Investigación Económica y Social, Madrid, p. 163.

GENOVESE, D., y MAYER, C. (2001), "Loss Aversion and Seller Behaviour: Evidence from the Housing Market", en *The Quarterly Journal of Economics, 116* (4), págs. 1233-1260.

GHÉKIERE, L. (1992), *Les Politiques du logement dans l'Europe du demain,* La Documentation Française, París.

GILI, Margalida; GARCÍA CAMPAYO, Javier, y ROCA, Miquel (2014), "Informe SESPAS. Crisis económica y salud mental", en *Gaceta Sanitaria.*

GILLAN, K., y PICKERILL, J. (2012), "The Difficult and Hopeful Ethics of Research on, and with, Social Movements", en *Social Movement Studies: Journal of Social, Cultural and Political Protest, 11* (2), págs. 133-143.

GÓMEZ, P. (20-4-2016), "Más de 1.000 pisos de la capital tienen okupas", en *La Razón.*

GONZÁLEZ BERENGUER, José Luis (1979), *Gestión, financiación y control del urbanismo*, Instituto de Estudios de la Administración Local, Madrid, p. 964.

GONZÁLEZ MORENO, Miguel (dir.) (1998), *Temas de economía española*, Tirant lo Blanc Libros, Valencia, p 448.

GONZÁLEZ, L. J. (21-11-2014). "Una anciana de 85 años, desahuciada por avalar un préstamo de su hijo", en *El País*.

GRANADA, S. (2014), *Estado de salud de la población afectada por un proceso de desahucio*.

GUZMÁN, C. (20-6-2016), "La 'okupación', en las alcaldías del cambio", en *Sabemos Digital*.

GUZMÁN, C. (23-6-2016), "Los 'okupas' invaden también Internet", en *Sabemos Digital*.

HAFFNER, M. E. A., y C. P. DOLOTB (2000), *Statistiques du logement dans l'Union Européenne*.

HALL, S. (1981), "La cultura, los medios de comunicación y el 'efecto ideológico'", en CURRAN, James (ed.), *Sociedad y comunicación de masas*, México.

"Han ocupado un piso de nuestra comunidad y la convivencia es insoportable" (8-2-2014), en Cadena SER.

HARLOE, M. (1995), *The People's Home? Social Rented Housing in Europe and America*, Blackwell, Oxford.

HERRANZ CASTILLO, R. (2000), "Desobediencia civil, ocupación y derecho a la vivienda", en *Actualidad Jurídica Aranzadi* (435), págs. 1-5.

HARVEY, D. (2012), *Rebel Cities*, Verso, Londres.

HIDALGO, C. (21-1-2016), "La casa 'okupa' de los ediles de Carmena: festivales pornográficos y 'antirrepresión'", en *ABC*.

HIDALGO, C. (9-5-2016), "Un concejal lidera la 'okupación' de un bloque de pisos en Arganda del Rey", en *ABC*.

HOEKSTRA, J., y VAKILI-ZAD, Cyrus (2009). "High Vacancy Rates and Rising House Prices: the Spanish Paradox", en *Tijdschrift voor Economische en Sociale Geografie*.

HOEKSTRA, J.; HERAS SAIZARBITORIA, I., y ETXEZARRETA ETXARRI, A. (2010), "Recent Changes in Spanish Housing Policies: Subsidized Owner-Occuancy Dwellings as a New Tenure Sector", en *Journal of Housing and the Built Environment* (25), págs. 125-138.

HULCHANSKI, J. D. (1995), "The Concept of Housing Affordability: Six Contemporary Uses of the Housing Expenditure-To-Income Ratio", en *Housing Studies, 10* (4), págs. 471-491.

IDEALISTA.COM (24-2-2014), *España, líder en número de viviendas vacías en Europa.* En: http://www.idealista.com/news/inmobiliario/vivienda/2014/02/24/724031-espana-lider-en-numero-de-viviendas-vacias-en-europa

IDEALISTA (26-2-2016), "Tengo unos vecinos okupas en un piso embargado por un banco, ¿qué puedo hacer?", en *El Confidencial.*

IDEALISTA.COM (2016). *Informes de precios de Idealista.* En: https://www.idealista.com/informes-precio-vivienda

IDEALISTA.COM (22-6-2016), "Vender una casa con 'okupas' obliga al propietario a bajar un 42% el precio", en Idealista.com.

INE (octubre 2015). *Encuesta de Población Activa.* En: http:// ine.es/dyngs/INEbase/es/operacion.htm?c=Estadistica_C&cid=1254736176918&menu=resultados&idp=1254735976595

INE (2015). *Contabilidad regional de España. Base 2010.* En: http:// www.ine.es/jaxi/menu.do?type=pcaxis&path=%2Ft35%2Fp010&file=inebase&L=0

INE (2016). *Estadística del padrón continuo.* En: http://www.ine.es/jaxi/menu.do?type=pcaxis&path=/t20/e245/&file=inebase&L=0

INE (2016). *Índice de precios de consumo.* En: http://www.ine.es/dyngs/INEbase/es/operacion.htm?c=Estadistica_C&cid=1254736176802&menu=ultiDatos&idp=1254735976607

INFANTE, M.; ROMÁN, M., y Traverso, J. (2012), "El sector español de la construcción bajo la perspectiva de género. Análisis de las condiciones laborales", en *Revista de la Construcción, 11* (1), págs. 32-43.

Instrumento de Ratificación de España del Pacto Internacional de Derechos Económicos, Sociales y Culturales (1966). Obtenido de BOE: https:// www.boe.es/diario_boe/txt.php?id=BOE-A-1977-10734

JOHNSON, S. (5-3-2013). "Spain's crisis sparks another revolution", en *The New York Times*: http://rendezvous.blogs.nytimes.com/ 2013/03/05/ spains-crisis-sparks-another-revolution/?_r=0

Juicios rápidos y desalojos inmediatos para acabar con las ocupaciones de viviendas (1-3-2016), en Telemadrid.

KAOS EN LA RED (24-7-2013), "Madrid: 100 antidisturbios para desalojar a Susana, Ángel y sus 2 niñxs. 24 activistas detenidas y liberadas", en *Kaos en la Red*.

KASSAM, A. (23-2-2014). "Spain's crash landlords: empty homes spawn black housing market", en *The Guardian*: http://www.theguardian.com /society/2014/feb/23/spain-property-black-market-housing-madrid

KOTHARI, M. (2008). *Informe del relator especial sobre una vivienda adecuada como elemento integrante del derecho a un nivel de vida adecuado. Misión a España*, Asamblea General Naciones Unidas.

"La mafia okupa en Madrid" (5-3-2016), en Telemadrid.

"Las gravedad de las mafias okupas" (9-5-2016), en Cadena Ser.

LLANO ORTIZ, J. C. (2016), *El estado de la pobreza*, European Anti-Poverty Network España, Madrid.

LÓPEZ, I., y Rodríguez, I. (2011), "Del auge al colapso. El modelo financiero-inmobiliario de la economía española 1995-2010", en *Revista de Economía Crítica* (12), págs.39-63.

LÓPEZ BERNAL, J.A.; GASPARRINI, A.; ARTUNDO, C., y MCKEE, M. (2013), "The Effect of the Late 2000s Financial Crisis on Suicides in Spain: an Interrupted Time-series Analysis", en *European Journal of Public Health*.

LÓPEZ-VALCÁRCEL, CORTÈS-FRANCH, I. (2014), "Informe SESPAS. Crisis económico-financiera y salud en España. Evidencia y perspectivas", en *Gaceta Sanitaria*.

MADRIGAL MARTÍNEZ-PEREDA, C. Memoria presentada al inicio del año judicial por la fiscal general del Estado. En https://www.fiscal.es/memorias/memoria2015/FISCALIA_SITE/recursos/pdf/MEMFIS15.pdf, 2015.

MARTIARENA, A. (21-4-2016), "La 'okupación' de viviendas desborda a la Policía", en *La Vanguardia*.

MARTÍNEZ, M. (2002), *Okupaciones de vivienda y centros sociales*, Virus, Barcelona.

MARTÍNEZ, M., y GARCÍA, A. (2014), *Ocupar las plazas, liberar los edificios*. En: http://www.miguelangelmartinez.net/?Ocupar-las-plazas-liberar-los

MARTÍNEZ, M. A., y CATTANEO, C. (2014), "Squatting as a Response to Social Needs, the Housing Questions and the Crisis of Capitalism", en S. E. KOLLECTIVE; CATTANEO, C, y MARTÍNEZ LÓPEZ, M. (eds.), *The Squatters' Movement in Europe: Commons and Autonomy as Alternatives to Capitalism* Pluto Press, Londres, págs. 26-58.

MEDIALDEA, B. (2013), "Cambio de las reglas de juego: la socialización de las pérdidas", en V. A. (coord.), *Lo llamaban democracia*, Icaria, Barcelona, págs. 30-36.

MÉNDEZ, F. (2006), "The Value of Legal Housing Titles: An Empirical Study", en *Journal of Housing Economics* (15), págs. 143-155.

MINISTERIO DE FOMENTO (2016), *Valor tasado de la vivienda*. En http://www.fomento.gob.es/MFOM/LANG_CASTELLANO/ATEN-CION_CIUDADANO/INFORMACION_ESTADISTICA/Vivienda/Estadisticas/Precios/default.htm

MONTANYÀ, M. (2013), "La respuesta de las élites: del 'giro keynesiano' al volantazo neoliberal", en V. A. (coord.), *Lo llamaban democracia*, Icaria, Barcelona, págs. 16-22.

MUELLBAUER, J., y MURPHY, A. (1997), "Booms and busts in the UK housing market", en *The Economic Journal, 107*, págs. 1707-1727.

MUÑOZ, T. (17-10-2011), "Derribos ilegales en el poblado madrileño de Puerta de Hierro", en *Diagonal*.

NACIONES UNIDAS - OFICINA DEL ALTO COMISIONADO DE DERECHOS HUMANOS (2007), *Principios básicos y directrices sobre desalojos y desplazamientos generados por el desarrollo*.

NACIONES UNIDAS (2012), *La mujer y el derecho a una vivienda adecuada*.

NACIONES UNIDAS (2014). *Desalojos Forzosos. Folleto informativo n.º 25, Rev. 1.*

NACIONES UNIDAS (1966). Instrumento de Ratificación de España del Pacto Internacional de Derechos Económicos, Sociales y Culturales.

NAREDO, J. M., y MONTIEL, A. (2011), *El modelo inmobiliario español*, Icaria, Barcelona.

NAREDO, J. M., y TAIBO, C. (2013), *De la burbuja inmobiliaria al decrecimiento*, Fundación Coloquio Jurídico Europeo, Madrid.

NIETO, A. G. (2015), "Regeneración urbana compleja de espacios vacantes a través de procesos informales", en *Jornadas Procesos Urbanos*, Universidad Complutense de Madrid, Departamento de Sociología IV, Madrid.

NOVOA, Ana M.; BOSCH, Jordi; DÍAZ, Fernando; MALMUSI, Davide; DARNELL, Mercè, y TRILLA, Carme (2014), "Informe Sespas. El impacto de la crisis en la relación entre vivienda y salud. Políticas de buenas prácticas para reducir las desigualdades en salud asociadas con las condiciones de vivienda", en *Gaceta Sanitaria*.

OBERVATORI DESC (2008). *Derecho a la vivienda y políticas habitacionales: informe de un desencuentro.*

OBSERVATORI DESC (2013), *Emergencia habitacional en el Estado español.*

OBSERVATORIO HATENTO (2015), *Algunas pautas. Muchos retos.*

OBSERVATORIO HATENTO (2015), *Los delitos de odio contra las personas sin hogar. Informe de investigación.*

OBSERVATORIO HATENTO (2015), *Muchas preguntas. Algunas respuestas.*

OBSERVATORIO VASCO DE LA VIVIENDA (2009), *Políticas de fomento de la vivienda de alquiler en Europa.* Departamento de Vivienda Obras Públicas y Transporte, País Vasco, p. 123.

OBRA SOCIAL PAH (2015), *Mapa - La SAREB es nuestra.* En http://www.lasarebesnuestra.com/map.php

ONU HÁBITAT (2010), *El derecho a una vivienda adecuada. Folleto informativo 21, Rev. 1*, Oficina del Alto Comisionado de las Naciones Unidas para los Derechos Humanos y el Programa de las Naciones Unidas para los Asentamientos Humanos.

ORTIZ, A. A., *Regulación de la dación en pago: comparativa entre la Ley*

1/2013 de 14 de mayo, y el RD 6/2012 de 9 de marzo, Centro de Estudios de Consumo Universidad de Castilla-La Mancha.

ORTIZ, J., *Medios de comunicación y pensamiento único.* En http://www.nodo50.org/eltransito/articulosrobados/ortiz.htm

PAH (2013), *Emergencia habitacional en el Estado español.* En http://afecta-dosporlahipoteca.com/wp-content/uploads/2013/12/2013-Emergencia-Habitacional_Estado_Espanyoldef.pdf

PAH (2013), *Manual Obra Social La PAH.* En afectadosporlahipoteca.com

PAH (9-2-2013), *La ILP para la dación en pago recoge 1.402.854 firmas de apoyo.* En: http://afectadosporlahipoteca.com/2013/02/09/la-ilp-para-la-dacion-en-pago-recoge-1-402-854-firmas-de-apoyo/

PAH (15-5-2015), *Cuatro años después, seguimos: ¡Feliz 15M! ¡Larga vida a la Obra Social!* En: http://afectadosporlahipoteca.com/2015/05/15/cua-tro-anos-despues-seguimos-feliz-15m-larga-vida-a-la-obra-social/

PAH (25-7-2015), *Aprobada por unanimidad la ILP contra los desahucios y la pobreza energética en Cataluña.* En: http://afectadosporlahipoteca.com/2015/07/25/aprobada-por-unanimidad-la-ilp-contra-los-desahucios-y-la-pobreza-energetica/

PAH (s.f.), *Proposición de ley de regulación de la dación en pago, de paralización de los desahucios y de alquiler social.* En http://afectadosporlahipoteca.com/propuestas/ilp-iniciativa-legislativa-popular/

PALOMINO MORAL, Pedro A.; GRANDE GASCÓN, María Luisa, y LI-NARES ABAD, Manuel (2014), *La salud y los determinante sociales. Desi-gualdades y exclusión en la sociedad del siglo XXI,* Revista Internacional de Sociología (RIS).

PERALTA, E. R. (2013), *Desahuciar, desalojar, ejecutar. Cuando la política callejera se convierte en medicina,* Universidad Rovira i Virgili, Tarragona.

PISARELLO, Gerardo, y ASENS, Jaume (26-3-2013), "La PAH también es ETA", en *Público.es.*

POZO, J. S. (2013), *Desigualdades sociales en salud: conceptos, estudios e in-tervenciones,* Universidad Nacional de Colombia, Bogotá.

RAMIS-PUJOL, J. (2013), *Razón económica y realidad humana: Una aproximación multidisciplinar al desahucio hipotecario basada en estudios de caso*, Universidad Ramón Llull, Departamento de Dirección de Operaciones e Innovación, Barcelona.

RESEARCH Institute for Housing, Urban and Mobility Studies; Delft University of Technology. [Fecha de consulta: 25 de mayo de 2010] Disponible en:http://www.union-habitat.org/structu/meurope.nsf/62569fb6fa 5eb929c12566e20077b9ba/a886158cb75bffe1c125727a00299068/

RIPOLLÉS, A. C. (2009), "El control político de la información periodística", en *Revista Latina de Comunicación Social*.

RIVAS, P. (24-11-2014), "El mapa de la desigualdad en Madrid", en *Diagonal*.

ROBLES-ORTEGA, Humbelina, *et. al. (2016)*, "Consumo de tabaco y alcohol en una muestra en proceso de desahucio", en *Revista Acción Psicológica*, UNED, junio 2016, vol. 13, nº. 1, págs. 41-52. http://dx.doi. org/10.5944/ap.13.1.17416

RODRÍGUEZ LÓPEZ, J. (2009), "La crisis de los mercados inmobiliario e hipotecario. Factores explicativos", en *Papeles de Economía Española* (122).

RODRÍGUEZ, J. (2014). *Crisis económica y cambios en el sistema financiero*, Catarata, Madrid.

ROLNIK, R. (2012), *Informe de la relatora especial sobre una vivienda adecuada como elemento integrante del derecho a un nivel de vida adecuado*, Asamblea General Naciones Unidas.

ROLNIK, R. (2013), *Informe de la relatora especial sobre una vivienda adecuada como elemento integrante del derecho a un nivel de vida adecuado y sobre el derecho de no discriminación a este respecto*, Asamblea General Naciones Unidas.

ROMANOS, E. (2014), "Evictions, Petitions and Escraches: Contentious Housing in Austerity Spain", en *Social Movement Studies: Journal of Social, Cultural and Political Protest, 13 (2)*, págs. 296-302.

RTVE.es/RNE (25-3-2013), *Cristina Cifuentes vincula la Plataforma de Afectados por la Hipoteca con "grupos filoetarras"*. En http://www.rtve.es/noticias/20130325/cifuentes-vincula-plataforma-afectados-hipoteca-grupos-filoetarras/623823.shtml

RUBIDO, Sagrario; APARICI, Roberto; DÍEZ, Ángeles, y TUCHO, Fernando (2001), *Medios de comunicación y manipulación. Propuestas para una comunicación democrática*, UNED.

RUBIO PÉREZ DE ACEVEDO, María del Pilar (2009), "La usurpación de inmuebles. Estudio del artículo 245.2 del Código Penal", *Revista Jurídica de la Comunidad de Madrid* (29).

SECCIÓN DE ESTADÍSTICA JUDICIAL (2015), *Datos sobre el efecto de la crisis en los órganos judiciales*, Consejo General del Poder Judicial, Madrid.

SEMINARIO DE HISTORIA POLÍTICA Y SOCIAL DE LAS OKUPACIONES EN MADRID-METRÓPOLIS (2014), *Okupa Madrid (1985-2011)*, Seminario de Historia Política y Social de las Okupaciones en Madrid-Metrópolis, Madrid.

Sesión extraordinaria, celebrada el miércoles, 14 de octubre de 2015, a las 9:15 horas, en *Diario de sesiones del Pleno del Ayuntamiento de Madrid n.º 1.188*.

SEVILLA, B. (7-8-2016), "Los okupas de Lavapiés hacen caja con las casetas cedidas por Carmena", en *ABC*.

SHILLER, R. J. (2007), "Understanding Recent Trends in House Prices and Homeownership", en *Working Paper* (13553).

S. L. (14-10-2014), "El PP acusa a Ahora Madrid de crear la figura de los 'okupas giratorios'", en *ABC*.

SOLVIA.ES (2015). *Varios anuncios: C/ Peironcely 22, Madrid; C/ Dublin 10, Torrejón; C/ Sierra Contraviesa 63, Madrid; C/ La Nacho 8, Alcorcón; C/ Guadalajara 1-11, Torrejón; C/ Pamplona 3, Torrejón; C/ Brasil 26, Torrejón; C/ Sierra del alto de León 7, Alcorcón; C/ Madrid 26, Alcorcón*. En: http://www.solvia.es.

STANDING, G. (2014), *A Precariat Charter: from denizens to citizens*, Bloomsbury, Londres.

STROIE, I. R., *Real Decreto-Ley 6/2012, de 9 de marzo por el que se aprueban medidas urgentes de protección de deudores hipotecarios sin recursos*, Centro de Estudios de Consumo Universidad de Castilla-La Mancha.

SUBDIRECCIÓN GENERAL DE ESTADÍSTICA, Ayuntamiento de Madrid (2016), *Paro registrado en la ciudad de Madrid junio 2016*, Ayuntamiento de Madrid, Área de Gobierno de Economía y Hacienda, Subdirección General de Estadística, Madrid.

TALTAVULL DE LA PAZ, P. (2012), "The Responsiveness of New Supply to House Prices: A Perspective from the Spanish Housing Market", en JONES, C., WHITE, M., y DUNSE, N., *Challenges of the Housing Economy: An International Perspective*, John Wiley & Sons, Londres, págs. 170-194.

TOLEDANO, S. (2010), *Obsoleta manipulación: elementos reales, virtuales y ficticios para una nueva concepción de la información*, MHCJ.

UGT Sª ACCIÓN SINDICAL (2015), *La precarización del mercado de trabajo en España*, UGT, Coordinación Área Externa, Gabinete Técnico Confederal, Madrid.

VELARDE, J. (4-3-2016), "Las mafias okupas de la podemita Arce acosan a otro edil del PP: 'Fascista, sinvergüenza'", en *Periodista Digital*.

VICENT, L. (2013), "Familia: ¿amortiguador o amortiguadoras?", en VICENT, L.; CASTRO, C.; AGENJO, A., y HERRERO, Y., en *El desigual impacto de la crisis sobre las mujeres*, FUHEM Ecosocial, Madrid, págs. 5-12.

WHITAKER, S., y FITZPATRICK VI, T. J. (2013), "Deconstructing Distressed-property Spillovers: The Effects of Vacant, Tax-delinquent, and Foreclosed Properties in Housing Submarkets", en *Journal of Housing Economics (22)*, págs. 79-91.

WHITEHEAD Margaret, y DAHLGREN, Göran (2006), *Conceptos y principios de la lucha contra las desigualdades sociales en salud*, Oficina Regional de la OMS para Europa.